COLEÇÃO ARGONAUTAS

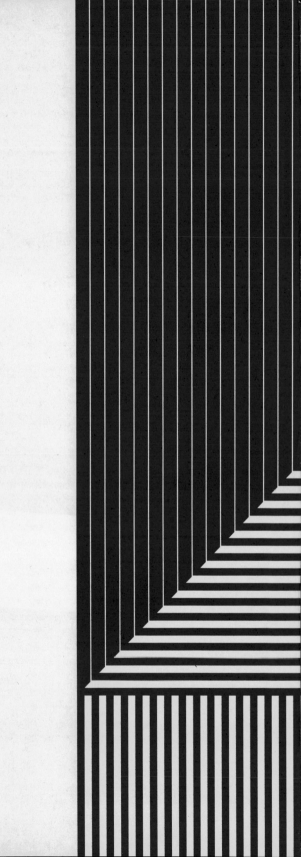

**GAYLE RUBIN
POLÍTICAS DO SEXO**

tradução Jamille Pinheiro Dias

7 Nota da edição

9 **O TRÁFICO DE MULHERES** (1975)

63 **PENSANDO O SEXO** (1984)

129 Bibliografia geral

139 Sobre a autora

NOTA DA EDIÇÃO

Reunimos neste volume dois textos seminais da antropóloga e ativista Gayle Rubin. Considerados clássicos dos estudos de gênero e sexualidade, "O tráfico de mulheres", de 1975, e "Pensando o sexo", de 1984, inauguraram a reflexão sobre o assunto na antropologia e nas humanidades como um todo, alterando o modo como se pensa e se fala sobre sexualidade hoje. No primeiro, a autora elabora o conceito de sistema sexo/gênero, que influenciou o debate sobre a construção social do gênero. Já no segundo, ela traça uma distinção analítica entre gênero e sexualidade, defendendo a liberdade e a diversidade sexual. No Brasil, ambos os textos circularam nos meios acadêmicos em traduções realizadas por pesquisadores, especialmente entre grupos de estudos. Este é o primeiro livro com textos de Gayle Rubin publicado em português com consentimento da autora.

O TRÁFICO DE MULHERES
NOTAS SOBRE A
"ECONOMIA POLÍTICA" DO SEXO

Originalmente publicado em Rayna Reiter (org.), *Toward an Anthropology of Women*. New York: Monthly View Press, 1975, pp. 157-210. Republicado em Gayle Rubin, *Deviations: A Gayle Rubin Reader*. London: Duke University Press, 2011.

A literatura acerca das mulheres – tanto a feminista quanto a antifeminista – é uma longa reflexão sobre a questão da natureza e da gênese da opressão e da subordinação social das mulheres. Essa questão não é banal, visto que as respostas dadas a ela são decisivas para o modo como vemos o futuro, assim como para se aferir se a esperança de uma sociedade sexualmente igualitária é algo que consideramos realista ou não. Além disso, é importante notar sobretudo que a análise das causas da opressão das mulheres constitui a base de qualquer avaliação do que deveria ser modificado para tornar possível uma sociedade sem hierarquia de gênero. Se a opressão das mulheres decorre da agressão e da dominação masculinas inatas, isso implicaria, logicamente, que o programa feminista buscasse exterminar o sexo agressor ou exigisse um projeto eugênico de modificação do seu caráter. Se o sexismo é um subproduto do apetite implacável do capitalismo pelo lucro, o advento de uma bem-sucedida revolução socialista poderia fazer o sexismo desaparecer. Se a derrota das mulheres, ao longo da história e em âmbito mundial, aconteceu em virtude de uma revolta armada patriarcal, é chegada a hora de guerrilheiras amazonas começarem a treinar na cordilheira de Adirondack.

Não está no escopo deste trabalho persistir em uma crítica de algumas das formas atualmente populares de explicar a gênese da desigualdade sexual – teorias como a da evolução popular exemplificada por *The Imperial Animal* (Tiger & Fox 1971), a suposta derrubada dos matriarcados pré-históricos, ou a tentativa de extrair todo e qualquer fenômeno de subordinação social do primeiro volume de *O capital*. O que pretendo, ao invés disso, é apresentar alguns elementos de uma explicação alternativa para o problema.

Marx, certa vez, questionou:

> O que é um escravo negro? Um homem da raça negra. Uma explicação vale tanto quanto a outra. Um negro é um negro. Só em determinadas relações é que ele se torna escravo. Uma máquina de fiar algodão é uma máquina de fiar algodão. Apenas em determinadas relações ela se torna capital. Fora dessas relações, ela já não é mais capital, assim como o ouro em si não é dinheiro, nem o açúcar é igual ao preço do açúcar. (Marx [1849] 1971: 28)

Poderíamos parafrasear: O que é uma mulher domesticada? Uma fêmea da espécie. Uma explicação vale tanto quanto a outra. Uma mulher é uma mulher. Ela só se transforma em mulher do lar, em esposa, em escrava, em coelhinha da Playboy, em prostituta, em um ditafone humano, dentro de determinadas relações. Fora dessas relações, ela já não é mais a auxiliar do homem, assim como o ouro em si não é dinheiro etc. Quais são, então, essas relações por meio das quais uma mulher se torna uma mulher oprimida? Podemos começar a desvendar os sistemas de relações pelas quais as mulheres se transformam em presa dos homens no campo de sobreposição das obras de Claude Lévi-Strauss e Sigmund Freud. A domesticação da mulher, sob outros nomes, é amplamente discutida na obra de ambos. Lê-los possibilita ter uma ideia de um aparato social sistemático que toma essas mulheres como matérias-primas e as molda como mulheres domesticadas. Nem Freud nem Lévi-Strauss veem o próprio trabalho sob este prisma, e certamente nenhum deles olha de forma crítica o processo que descreve. Desse modo, as análises e descrições que oferecem devem ser lidas de forma um tanto análoga a como Marx lia os economistas políticos clássicos que o precederam (a esse respeito, ver Althusser [1968] 1979: 11-74). Freud e Lévi-Strauss, em certo sentido, assemelham-se a Ricardo e Smith: eles não percebem as implicações do que dizem, nem a crítica implícita que sua obra pode suscitar quando submetida a um olhar feminista. Ainda assim, eles trazem ferramentas conceituais com as quais é possível descrever a parte da vida social em que reside a opressão das mulheres, das minorias sexuais, e de certos aspectos da personalidade humana presente nos indivíduos. Na falta de um termo mais elegante, chamo a essa parte da vida social de "sistema de sexo/gênero". Como definição preliminar, podemos dizer que um "sistema de sexo/gênero" consiste em uma série de arranjos por meio dos quais uma sociedade transforma a sexualidade biológica em produtos da atividade humana, nos quais essas necessidades sexuais transformadas são satisfeitas.

O objetivo deste ensaio é chegar a uma definição mais plenamente desenvolvida do sistema de sexo/gênero. Pretendo fazê-lo por meio de uma leitura um tanto idiossincrática e exegética de Lévi-Strauss e de Freud. Uso o termo *exegética* deliberadamente. O dicionário define *exegese* como "explicação ou análise crítica; particularmente, interpretação das Escrituras". Em certos momentos, minha leitura de Lévi-Strauss e de Freud é livremente interpretativa, passando do conteúdo explícito de um texto para seus pressupostos e implicações. Minha leitura de determinados textos psicanalíticos é filtrada por uma lente proveniente de Jacques Lacan, cuja interpretação da escritura freudiana foi ela mesma fortemente influenciada por Lévi-Strauss.[1]

Mais adiante, buscarei dar uma definição mais elaborada do sistema de sexo/gênero. Tentarei, porém, em primeiro lugar, demonstrar como esse conceito é necessário, discutindo as insuficiências do marxismo clássico para expressar ou conceituar a opressão sexual. Essas insuficiências vêm do fato de que o marxismo, sendo uma teoria da vida social, é relativamente alheio à questão do sexo. Em seu mapa do mundo social, Marx apresenta os seres humanos como trabalhadores, camponeses ou capitalistas; o fato de que eles são também homens e mulheres não parece muito significativo. Em contrapartida, nos mapas da realidade social elaborados por Freud

---

1. O deslocamento entre marxismo, estruturalismo e psicanálise produz um certo choque de epistemologias. O estruturalismo, em especial, é um recipiente a partir do qual minhocas se espalham por todo o mapa epistemológico. Em vez de tentar enfrentar este problema, eu ignorei um tanto o fato de que Lacan e Lévi-Strauss estão entre os mais destacados ancestrais vivos da revolução intelectual francesa (ver Foucault 1966). Seria divertido, interessante e, se estivéssemos na França, essencial, dar início a meu argumento desde o centro do labirinto do estruturalismo, buscando meu caminho até o exterior a partir dele, a exemplo de uma "teoria dialética das práticas significantes" (ver Hefner 1974).

O tráfico de mulheres **11**

e Lévi-Strauss há uma acentuada percepção do lugar da sexualidade na sociedade, assim como das profundas diferenças entre as experiências sociais vividas por homens e mulheres.

Marx

Não há nenhuma teoria que explique a opressão das mulheres – em sua variedade interminável e similaridade monótona, nas diferentes culturas e ao longo da história – com uma potência explicativa comparável à da teoria marxista da opressão de classe. Dessa forma, não surpreende que tenha havido inúmeras tentativas de aplicar a análise marxista à questão das mulheres. Existem muitas maneiras de se fazer isso. Já se argumentou que as mulheres são uma força de trabalho de reserva para o capitalismo, que os salários geralmente inferiores pagos a elas proporcionam uma mais-valia suplementar ao empregador capitalista, que elas servem aos objetivos do consumismo capitalista em seu papel de administradoras do consumo familiar, e assim por diante.

No entanto, muitos artigos tentaram fazer algo muito mais ambicioso – notar que a opressão das mulheres se encontra no cerne da dinâmica capitalista, chamando atenção para a relação entre trabalho doméstico e reprodução do trabalho (ver Benston 1969; Dalla Costa 1972; Larguia & Dumoulin 1972; Gerstein 1973; Vogel 1973; Secombe 1974; Gardiner 1974; Rowntree M. & J. 1970). Ao fazê-lo, mostraram de modo bastante consistente que as mulheres se situam na definição mesma do capitalismo, isto é, o processo pelo qual o capital é produzido pela extração da mais-valia sobre o trabalho pelo capital.

Em suma, Marx argumentava que o capitalismo se distingue de todos os outros modos de produção por ter como único objetivo a criação e a expansão do capital. Enquanto outros modos de produção se preocupem talvez em fabricar coisas úteis para satisfazer as necessidades humanas, produzir um excedente para uma nobreza dominante ou, ainda, produzir de modo a assegurar sacrifícios suficientes para a edificação dos deuses, o capitalismo produz capital. O capitalismo é um conjunto de relações sociais – formas de propriedade etc. – no qual a produção consiste em transformar o dinheiro, as coisas e as pessoas em capital. E o capital é uma quantidade de bens ou de dinheiro que, ao ser trocado por trabalho, se reproduz e se expande extraindo trabalho não pago, ou mais-valia, da mão de obra para si próprio.

> O resultado do processo de produção capitalista não é um simples produto (valor de uso) nem uma *mercadoria*, isto é, um valor de uso que possui um valor de troca determinado. Seu resultado, seu produto, é a criação de *mais-valia* para o capital e, assim, a *transformação* efetiva de dinheiro ou mercadoria em capital. (Marx [1852] 1980: 399; itálico no original)

A troca entre capital e trabalho, que produz mais-valia e, consequentemente, capital, é altamente específica. O trabalhador ou trabalhadora recebem um salário; o capitalista recebe aquilo que o trabalhador ou trabalhadora fabricaram durante o tempo em que trabalharam para ele. Se o valor total das coisas que o trabalhador ou trabalhadora fabricaram exceder o valor de seu salário, o objetivo do capitalismo terá sido atingido. O capitalista recupera o custo do salário, mais um acréscimo – a mais-valia. Se isso é possível, é porque o salário é determinado não pelo valor do que o trabalhador ou trabalhadora produzem, mas pelo valor daquilo que é necessário para que ele ou ela possam continuar – para que ele ou ela reproduzam o que fazem dia após dia e para que o conjunto da força de trabalho se reproduza de geração em geração. Assim, a mais-valia é a diferença entre o que a classe trabalhadora produz como um todo e a parte desse total que é reciclada a fim de manter a classe trabalhadora.

> O capital que foi alienado em troca da força de trabalho é convertido em meios de subsistência, cujo consumo serve para reproduzir os músculos, os nervos, os ossos, o cérebro dos trabalhadores existentes e para produzir novos trabalhadores. [...] O consumo individual do trabalhador continua a ser, assim, um momento da produção e reprodução do capital, quer se efetue dentro, quer fora da oficina, da fábrica etc., e quer se efetue dentro, quer fora do processo de trabalho, exatamente como ocorre com a limpeza da máquina [...]. (Marx [1867] 2013: 647)

Dada a existência do indivíduo, a produção da força de trabalho consiste em sua própria reprodução ou manutenção. Para sua manutenção, o indivíduo vivo necessita de certa quantidade de meios de subsistência. [...] Porém, a força de trabalho só se atualiza [*verwirklicht*] por meio de sua exteriorização, só se aciona por meio do trabalho. Por meio de seu acionamento, o trabalho, gasta-se determinada quantidade de músculos, nervos, cérebro etc. humanos que tem de ser reposta. (Id. ibid.: 245)

O montante da diferença entre a reprodução da força de trabalho e o que ela produz depende, portanto, do que entendemos como necessário para reproduzir essa força de trabalho. Marx se mostra inclinado a determinar essa necessidade na quantidade de mercadorias básicas – alimentos, roupas, moradia, combustível – necessárias para manter a saúde, a vida e a força de um trabalhador. Mas essas mercadorias devem ser consumidas para se transformar em sustento, e não são imediatamente consumíveis quando adquiridas com o salário. Um trabalho adicional deve ser realizado sobre essas coisas para que elas possam ser transformadas em pessoas. É preciso cozinhar os alimentos, lavar as roupas, arrumar as camas, cortar a lenha etc. O trabalho doméstico, portanto, é um elemento chave do processo de reprodução do trabalhador de quem se tira a mais-valia. Como são geralmente as mulheres que fazem o trabalho doméstico, já se observou que é por meio da reprodução da força de trabalho que as mulheres são articuladas no nexo da mais-valia, que é condição *sine qua non* do capitalismo.[2] Pode-se argumentar, além disso, que já que não há pagamento de salários pelo trabalho doméstico, o trabalho das mulheres em casa contribui para o volume final de mais-valia realizado pelo capitalista. Porém, uma coisa é explicar a utilidade das mulheres para o capitalismo. Argumentar que essa utilidade explica as origens da opressão das mulheres é outra bem diferente. É precisamente nesse ponto que a análise do capitalismo deixa de ter muito a explicar a respeito das mulheres e da opressão das mulheres.

---

2. Grande parte do debate sobre as mulheres e o trabalho doméstico tem se centrado em defini-lo como "produtivo" ou não. Estritamente falando, o trabalho doméstico não é habitualmente "produtivo" no sentido técnico do termo (I. Gough 1972; Marx 1852, Parte 1). Mas essa distinção é irrelevante para a linha de raciocínio que realmente importa. Ainda que o trabalho doméstico não seja "produtivo", no sentido de produzir diretamente mais-valia e capital, ele não deixa de ser um elemento crucial na produção de mais-valia e capital.

As mulheres são oprimidas em sociedades que, nem com um esforço considerável de imaginação, podem ser descritas como capitalistas. Na Amazônia e nas terras altas da Nova Guiné, as mulheres são frequentemente mantidas em seu lugar por meio de estupros coletivos, quando os mecanismos habituais de intimidação masculina se revelam insuficientes. "Nós domamos nossas mulheres com bananas", disse um homem munduruku (Murphy 1959: 195). Os registros etnográficos estão repletos de práticas cujo efeito consiste em manter as mulheres "em seu lugar" – cultos realizados entre homens, iniciações secretas, conhecimento esotérico reservado aos homens etc. Além disso, a Europa pré-capitalista, feudal, não era uma sociedade livre de sexismo. O capitalismo retomou e renovou concepções sobre masculino e feminino que o antecedem em muitos séculos. Nenhuma análise da reprodução da força de trabalho sob o capitalismo é capaz de explicar o enfaixamento de pés, os cintos de castidade e a inacreditável gama de indignidades de caráter bizantino, fetichista, isso sem falar de outras mais comuns, infligidas às mulheres em várias épocas e lugares. A análise da reprodução da força de trabalho nem sequer chega a explicar por que são geralmente as mulheres, e não os homens, que fazem o trabalho doméstico em casa.

À luz disto, é interessante voltar à análise da reprodução do trabalho oferecida por Marx. O que é necessário para reproduzir o trabalhador é determinado em parte pelas necessidades biológicas do corpo humano, em parte pelas condições físicas do lugar onde ele vive, e em parte pela tradição cultural. Marx observou que a cerveja é necessária para a reprodução da classe trabalhadora inglesa, e o vinho para a francesa.

> *a extensão das assim chamadas necessidades imediatas [dos trabalhadores], assim como o modo de sua satisfação, é ela própria um produto histórico* e, por isso, depende em grande medida do grau de cultura de um país, mas também depende, entre outros fatores, de sob quais condições e, por conseguinte, com quais costumes e exigências de vida se formou a classe dos trabalhadores livres num determinado local. *Diferentemente das outras mercadorias, a determinação do valor da força de trabalho contém um elemento histórico e moral.* (Marx [1867] 2013: 246; grifo meu)

É precisamente esse "elemento moral e histórico" que determina que uma "esposa" esteja entre as necessidades de um trabalhador, que as mulheres, e não os homens, façam o trabalho doméstico, e que o capitalismo seja herdeiro de uma longa tradição na qual as mulheres não herdam, na qual as mulheres não exercem papel de liderança, na qual as mulheres não falam com Deus. Foi esse "elemento histórico e moral" que instaurou no capitalismo um patrimônio cultural de formas de masculinidade e feminilidade. É nesse "elemento histórico e moral" que a totalidade do domínio do sexo, da sexualidade e da opressão sexual se encontra subsumida. E a brevidade do comentário de Marx apenas vem chamar atenção para a vastidão da área da vida social que ele abarca e deixa de examinar. É apenas submetendo à análise esse "elemento histórico e moral" que se pode descrever as estruturas da opressão sexual.

Engels

Em *A origem da família, da propriedade privada e do estado*, Friedrich Engels vê a opressão sexual como parte do que o capitalismo herdou de formas sociais anteriores. Além disso, a teoria da sociedade de Engels contempla o sexo e a sexualidade. A *Origem* é um livro decepcionante. Assim como os volumes do século XIX sobre a história do casamento e da família repercutidos por ele, as evidências que apresenta lhe conferem um caráter pitoresco para um leitor familiarizado com os últimos desenvolvimentos da antropologia. Ainda assim, trata-se de um livro de considerável sagacidade, uma qualidade que não deve ser ofuscada por suas limitações. A ideia de que pode e deve haver distinção entre as "relações de sexualidade" e as "relações de produção" não é a menor das intuições de Engels:

> De acordo com a concepção materialista, o fator decisivo na história é, em última instância, a produção e a reprodução da vida imediata. *Mas essa produção e essa reprodução são de dois tipos: de um lado, a produção de meios de existência, de produtos alimentícios, habitação e instrumentos necessários para tudo isso; de outro lado, a produção do homem mesmo*, a continuação da espécie. A ordem social em que vivem os homens de determinada época ou determinado país está condicionada por essas duas espécies de produção: pelo grau

de desenvolvimento do trabalho, de um lado; e da família, de outro. (Engels [1884] 1984: 2, grifo meu)

Essa passagem identifica algo importante – o fato de que um grupo humano deve fazer mais do que praticar sua atividade a fim de remodelar o mundo natural com o propósito de se vestir, de se alimentar e de se aquecer. Costumamos chamar de "economia" o sistema pelo qual os elementos do mundo natural são transformados em objetos de consumo humano. No entanto, as necessidades satisfeitas pela atividade econômica, mesmo no sentido mais rico, marxista, do termo, não esgotam as necessidades humanas básicas. Um grupo humano também deve se reproduzir, de geração em geração. Devem-se satisfazer as necessidades da sexualidade e da procriação tanto quanto a necessidade de se alimentar, e uma das inferências mais óbvias que se pode extrair a partir de dados da antropologia é que essas necessidades quase nunca são satisfeitas de modo "natural", assim como a necessidade de se alimentar. A fome é a fome, mas o que conta como alimento é algo culturalmente definido e adquirido. Toda sociedade tem alguma forma de atividade econômica organizada. O sexo é o sexo, mas o que conta como sexo é algo culturalmente definido e adquirido. Toda sociedade também tem um sistema de sexo/gênero – um conjunto de disposições pelas quais a matéria-prima biológica do sexo e da procriação humana é moldada pela intervenção humana, social, e satisfeita de uma maneira convencional, por mais bizarras que sejam algumas dessas convenções.[3]

---

3. O fato de que, do nosso ponto de vista, algumas dessas convenções sejam bastante bizarras apenas demonstra a intervenção da cultura na expressão da sexualidade (ver Ford & Beach 1951). Podemos elencar alguns exemplos dentre as coisas exóticas com as quais os antropólogos se deleitam. Entre os Banaro, o casamento comporta várias relações de parceria sexual socialmente sancionadas. Quando uma mulher se casa, ela é iniciada no coito com um amigo-parente [N.T. No original, "*sib-friend*": um membro de um mesmo grupo de parentesco, organizado de acordo com uma ascendência em comum, e que faça parte de uma mesma faixa etária de iniciação] do pai de seu noivo. Uma vez que tiver dado à luz um filho deste homem, ela passa a ter relações sexuais com o marido. Ela também tem uma relação institucionalizada com o amigo-parente de seu marido. As parcerias do homem incluem sua esposa, a esposa de seu amigo-parente e a esposa do filho de seu amigo-parente (Thurnwald 1916). Entre os Marind Anim, por sua vez, os múltiplos coitos são habituais. No período do casamento, a noiva tem relações

O domínio do sexo, do gênero e da procriação humanos tem sido há milênios submetido e transformado por um conjunto incessante de atividades sociais. O sexo, tal como o conhecemos – a identidade de gênero, o desejo e a fantasia sexuais, as concepções de infância – é em si um produto social. Precisamos compreender as relações que o produzem, e deixar de lado, por um momento, os alimentos, as roupas, os automóveis e os rádios transistores. Em grande parte da tradição marxista, e até mesmo no livro de Engels, a ideia do "aspecto secundário da vida material" tende a ficar de lado ou a ser incorporada nas noções habituais de "vida material". A sugestão de Engels nunca foi desenvolvida e refinada como precisaria ser. Mas Engels de fato indica a existência e a importância da área da vida social que pretendo chamar de sistema de sexo/gênero.

Outras denominações já foram propostas para o sistema de sexo/gênero. As mais comuns são "modo de reprodução" e "patriarcado". Pode parecer ridículo tergiversar sobre as palavras que empregamos, mas esses dois termos correm risco de causar confusão. As três propostas tinham como finalidade introduzir uma distinção entre sistemas "econômicos" e sistemas "sexuais", e observar que os sistemas sexuais têm uma certa autonomia e nem sempre podem ser explicados em razão de forças econômicas. O termo "modo de reprodução", por exemplo, foi proposto em oposição a "modo de produção", uma expressão mais familiar.

---

com todos os membros do clã de seu noivo, sendo que este é o último a estar com ela. A cada festividade mais significativa, ocorre uma prática conhecida como *otiv-bombari*, na qual o sêmen é coletado para fins rituais. Algumas poucas mulheres têm relações sexuais com vários homens, e o sêmen resultante é coletado em recipientes feitos de casca de coco. Os homens marind, ao serem iniciados, passam por múltiplas relações sexuais com outros homens (Van Baal 1966). Entre os Etoro, o sexo heterossexual é considerado tabu durante 205 a 260 dias por ano (Kelly 1976). Em grande parte da Nova Guiné, os homens temem o coito e acreditam que manter relações sexuais sem precauções mágicas pode levar à morte (Glasse 1971; Meggitt [1964] 1970). Essas ideias a respeito da impureza feminina geralmente expressam a subordinação da mulher. Mas os sistemas simbólicos têm contradições internas, cujas extensões lógicas levam por vezes à inversão das proposições nas quais se assenta o sistema. Na Nova Bretanha, o medo que os homens sentem em relação ao sexo é tão extremado que o estupro parece ser mais temido pelos homens que pelas mulheres. As mulheres correm atrás dos homens, que fogem delas; as mulheres são agressoras sexuais; os noivos, os relutantes (Goodale & Chowning 1971). Podemos encontrar outras variações sexuais interessantes em Yalmon (1963) e K. Gough (1959).

Mas essa terminologia vincula a "economia" à produção e o sistema sexual à "reprodução". Ela não reflete propriamente a riqueza de cada um dos sistemas, visto que "produções" e "reproduções" acontecem em ambos. Todo modo de produção implica alguma reprodução – de ferramentas, de trabalho e de relações sociais. Não se deve relegar todos os aspectos multifacetados da reprodução social ao sistema de sexo. A substituição de maquinário é um exemplo de reprodução que se dá no domínio da economia. Por outro lado, não podemos limitar o sistema sexual à "reprodução", seja no sentido social, seja no sentido biológico. Um sistema de sexo/gênero não é apenas o momento reprodutivo de um "modo de produção". A formação da identidade de gênero é um exemplo de produção no domínio do sistema sexual. E um sistema de sexo/gênero envolve mais do que as "relações de procriação", mais do que a reprodução em um sentido biológico.

O termo *patriarcado* foi introduzido para distinguir as forças que mantêm o sexismo de outras forças sociais, tais como o capitalismo. Mas o uso do termo *patriarcado* obscurece outras distinções. É como usar o termo *capitalismo* para se referir a todos os modos de produção, enquanto que a utilidade do termo reside precisamente no fato de ele estabelecer uma distinção entre os diferentes sistemas pelos quais as sociedades se organizam e dão conta de suas necessidades. Os sistemas de "economia política" existem em qualquer sociedade. Eles podem ser igualitários ou socialistas. Podem ser estratificados em classes, caso em que a classe oprimida pode ser formada por servos, agricultores ou escravos. A classe oprimida pode consistir de trabalhadores assalariados, caso em que o sistema é rotulado devidamente como "capitalista". A força do termo reside no fato de que ele implica a existência efetiva de alternativas ao capitalismo.

Da mesma forma, toda sociedade tem formas sistemáticas de tratar do sexo, do gênero e dos bebês. Esses sistemas podem ser sexualmente igualitários, pelo menos em teoria, ou podem ser "estratificados de acordo com o gênero", o que parece ser o caso na maioria ou mesmo em todos os exemplos de que temos conhecimento. Mas é importante – mesmo diante de uma história desencorajadora – manter a distinção entre a capacidade e a necessidade que a humanidade tem de criar um mundo sexual e as maneiras empiricamente opressivas segundo as quais os mundos sexuais foram organizados. A palavra *patriarcado* abarca ambos os sentidos. Falar em *sistema de sexo/gênero*, por outro lado, é usar um termo neutro que se refere ao domínio em questão e indica que a opressão não é algo inevitável, mas, sim, produto de relações sociais específicas que a organizam.

Existem, enfim, sistemas estratificados de acordo com o gênero que não podemos descrever adequadamente como patriarcais. Muitas sociedades na Nova Guiné são violentamente opressivas em relação às mulheres (os Enga, os Maring, os Bena Bena, os Huli, os Melpa, os Kuma, os Gahuku-Gama, os Fore, os Marind Anim etc., *ad nauseam*; ver Berndt 1962; Langness 1967; Rappaport 1975; Read 1952; Meggitt 1964; Glasse 1971; Strathern 1972; Reay 1959; Van Baal 1966; Lindenbaum 1973). No entanto, o poder dos homens nesses grupos não se baseia em um papel exercido como pais ou patriarcas, mas na sua masculinidade coletiva adulta, consubstanciada em cultos secretos, nas casas dos homens, na guerra, nas redes de troca, no conhecimento ritual e em várias práticas de iniciação. O patriarcado é uma forma específica de dominação masculina, e o uso do termo deveria ser reservado a autoridades e oficiais eclesiásticos, aos quais o termo se atribuiu inicialmente, ou a pastores nômades do tipo do Antigo Testamento, cujas estruturas políticas a palavra se mostra útil para descrever. Abraão era um Patriarca – um ancião cujo poder absoluto sobre as esposas, os filhos, os rebanhos e os dependentes constituía um dos aspectos da instituição da paternidade tal como definida no grupo em que vivia.

Seja qual for o termo que utilizemos, o importante é produzir conceitos que permitam descrever adequadamente a organização social da sexualidade e a reprodução de convenções de sexo e de gênero. Precisamos dar continuidade ao projeto que Engels abandonou ao situar a subordinação das mulheres como parte integrante de um desenvolvimento do modo de produção.[4] Para

---

4. Engels acreditava que os homens adquiriam riqueza na forma de rebanhos e, no intuito de transferir essa riqueza para os próprios filhos, suprimiram o "direito materno" em favor da herança patrilinear. "A supressão do direito materno foi uma derrota do sexo feminino de repercussão histórica e alcance mundial. Mesmo em casa, o homem também assumiu o comando; a mulher foi rebaixada e reduzida à servidão; tornou-se escrava do prazer do homem e simples instrumento de reprodução" (Engels [1884] 1984: 120-21; itálico no original). Como tem se apontado frequentemente, as mulheres não têm necessariamente

fazê-lo, podemos imitar Engels no que diz respeito não a seus resultados, mas a seu método. Engels encarou a tarefa de analisar o "aspecto secundário da vida material" examinando uma teoria dos sistemas de parentesco. Os sistemas de parentesco são e fazem muitas coisas. Mas eles são compostos de formas concretas de sexualidade socialmente organizada, além de reproduzi-las. Os sistemas de parentesco são formas observáveis e empíricas do sistema sexo/gênero.

O parentesco (Sobre o papel da sexualidade na transição do macaco ao "homem")

Para um antropólogo, um sistema de parentesco não é uma série de parentes biológicos. É um sistema de categorias e estatutos que muitas vezes contradizem relações propriamente genéticas. Há muitos exemplos nos quais o estatuto de parentesco definido socialmente prevalece sobre a biologia. O costume nuer do "casamento entre mulheres" é um caso típico. Os Nuer definem o estatuto da paternidade como pertencente à pessoa em cujo nome o dote (em forma de gado) é pago à mãe da noiva. Assim, uma mulher pode se casar com outra mulher, ser marido de outra mulher e pai dos seus filhos, ainda que não a engravide (Evans-Pritchard 1951: 107-09).

Nas sociedades pré-estatais, o parentesco é muitas vezes a linguagem da interação social, organizando as atividades econômicas, políticas e cerimoniais, bem como as sexuais. As funções, responsabilidades e privilégios de uma pessoa para com outra são definidas de acordo com a presença ou ausência de uma relação mútua de parentesco. A troca de bens e serviços, a produção e a distribuição, a hostilidade e a solidariedade, os rituais e as cerimônias – tudo isso se dá dentro da estrutura organizacional do parentesco. A onipresença e a eficácia adaptativa do parentesco levaram muitos antropólogos a considerar a sua invenção, juntamente com a invenção da linguagem, como um desenvolvimento que marcou de forma decisiva a descontinuidade entre os hominídeos semi-humanos e os seres humanos (Sahlins 1960; Livingstone 1969; Lévi-Strauss [1947] 1984).

---

uma autoridade social significativa nas sociedades que praticam a herança matrilinear (Schneider & Gough 1961).

Se a ideia da importância do parentesco goza do estatuto de princípio primordial na antropologia, o funcionamento interno dos sistemas de parentesco tem motivado intensa controvérsia. Os sistemas de parentesco variam enormemente de uma cultura para outra. Há neles todo tipo de regra confusa que determina quem pode ou não pode se casar. Sua complexidade interna é espetacular. Os sistemas de parentesco estimularam por décadas a imaginação dos antropólogos com relação à explicação do tabu do incesto, do casamento de primos cruzados, dos termos de filiação, das relações de evitação e de imposição de intimidade, dos clãs e das metades, dos tabus relacionados a nomes – em suma, de uma variada série de elementos encontrados nas descrições de sistemas reais de parentesco. No século XIX, muitos pensadores se dedicaram a escrever extensas apresentações da natureza e da história dos sistemas sexuais da humanidade (ver Fee 1973). Um deles foi Lewis Henry Morgan, autor de *A sociedade antiga*, que inspirou Engels a escrever *A origem da família, da propriedade privada e do Estado*. A teoria de Engels tem como base o estudo de Morgan sobre parentesco e casamento.

Ao retomarmos o projeto de Engels – isto é, pensar a opressão sexual a partir do estudo da teoria de parentesco – notamos que temos uma vantagem: o amadurecimento vivenciado pela etnologia desde o século XIX. Temos também a vantagem de ter um livro peculiar e particularmente relevante, *As estruturas elementares do parentesco*, de Claude Lévi-Strauss. Trata-se do mais ousado esforço, realizado no século XX, de levar adiante o projeto do século XIX de compreender o casamento entre seres humanos. O livro concebe explicitamente o parentesco como imposição de uma organização cultural sobre os fatos da procriação biológica. Ele é atravessado pela consciência da importância da sexualidade na sociedade humana. Ao descrever a sociedade, não pressupõe um sujeito humano abstrato e sem gênero. Pelo contrário, o sujeito humano na obra de Lévi-Strauss é sempre do sexo masculino ou feminino e, portanto, os destinos sociais divergentes de ambos os sexos podem ser traçados. Como para Lévi-Strauss a essência dos sistemas de parentesco pode ser identificada na troca de mulheres entre os homens, ele constrói uma teoria implícita da opressão sexual. Pertinentemente, o livro é dedicado à memória de Lewis Henry Morgan.

"Vil e preciosa mercadoria"
Monique Wittig, *Les Guérillères* [As guerrilheiras]

As estruturas elementares do parentesco é um estudo grandioso sobre a origem e a natureza da sociedade humana. É um tratado sobre os sistemas de parentesco de cerca de um terço das sociedades conhecidas pela etnografia. Seu projeto principal é buscar discernir os princípios estruturais do parentesco. De acordo com Lévi-Strauss, ao se aplicar esses princípios (resumidos no último capítulo da obra) aos dados de parentesco, uma lógica inteligível revela-se nos tabus e regras de casamento que tanto já deixaram os antropólogos ocidentais perplexos e atordoados. O jogo de xadrez construído por ele é tão complexo que não há como resumi-lo aqui. Mas duas das peças de xadrez são particularmente relevantes no que diz respeito às mulheres – a "dádiva" e o tabu do incesto, cuja articulação mútua vem a resultar em seu conceito de troca de mulheres.

As estruturas elementares, de certa forma, é uma interpretação radical de uma outra famosa teoria da organização social primitiva, o *Ensaio sobre a dádiva*, de Marcel Mauss (ver também Sahlins 1972, cap. 4). Mauss foi o primeiro a teorizar a importância de uma das características mais marcantes das sociedades primitivas: a predominância do dar, do receber e do retribuir nas relações sociais. Em tais sociedades, todos os tipos de coisas circulam por meio de troca – alimentos, encantamentos, rituais, palavras, nomes, ornamentos, ferramentas e poderes.

> Sua própria mãe, // Sua própria irmã, // Seus próprios porcos, // Seus próprios inhames que você juntou, // Você não pode comer. // A mãe dos outros, // A irmã dos outros, // Os porcos dos outros, // Os inhames dos outros que eles juntaram, // Você pode comer. (aforismo arapesh, Mead [1935] 1979: 100)

Em um processo típico de troca de presentes, nenhuma parte ganha coisa alguma. Nas ilhas Trobriand, toda casa tem uma horta de inhame, e em toda casa se come inhame. No entanto, o inhame cultivado em uma determinada casa e o inhame consumido nessa mesma casa não são os mesmos. Na ocasião da colheita, um homem manda os inhames cultivados por ele para a casa de sua irmã; e a casa onde vive é abastecida pelo irmão de sua mulher

(Malinowski [1929] 1983). Como tal processo não parece ter utilidade do ponto de vista da acumulação ou do comércio, procuramos sua lógica em outro lugar. Para Mauss, a importância da dádiva é expressar, confirmar ou criar um vínculo social entre os parceiros de uma troca. Aqueles que participam de uma oferta de presentes estabelecem uma relação especial de confiança, solidariedade e ajuda mútua. Uma relação amistosa é o que se costuma esperar da oferta de um presente; aceitá-lo implica que temos a intenção de dar um presente em troca, e que confirmamos o relacionamento. A troca de presentes também pode ser uma expressão de competição e rivalidade. Há muitos exemplos de situações em que uma pessoa humilha a outra, ofertando algo que não é possível retribuir. Alguns sistemas políticos, tais como os sistemas do tipo *Big Men* (os "Grandes Homens"), nas terras altas da Nova Guiné, são baseados em uma troca que se dá de forma desigual no plano material. Aquele que deseja se tornar um "grande homem" deve dar mais do que pode ser retribuído. O que ele recebe em troca é o prestígio político.

Ainda que Mauss e Lévi-Strauss insistam tanto nos aspectos solidários da troca de presentes, as outras finalidades às quais ela serve apenas reforçam a ideia de que ela se trata de um método onipresente de intercâmbio social. Mauss sugeriu que os presentes são a trama do discurso social, a maneira de assegurar que haja coerência em tais sociedades, dada a ausência de instituições especializadas de governo. "O presente é a principal maneira de assegurar que existirá a coesão que na sociedade civil é garantida pelo Estado [...] Ao constituir a sociedade, o presente proporcionou a liberação da cultura" (Sahlins 1972: 169, 175).

À teoria da reciprocidade primitiva, Lévi-Strauss acrescenta a ideia de que os casamentos são uma forma absolutamente fundamental da troca de presentes, na qual as mulheres são o presente mais precioso. Ele argumenta que a melhor maneira de entender o tabu do incesto é vê-lo como um mecanismo que serve para garantir que essas trocas ocorram entre as famílias e entre os grupos. Considerando-se que a existência de tabus do incesto é universal, mas que o conteúdo de suas proibições varia, não se pode explicá-los como tendo o propósito de evitar o casamento entre pessoas geneticamente semelhantes. Na verdade, o que acontece é que o tabu do incesto privilegia os fins sociais da exogamia e da aliança em detrimento dos eventos biológicos do sexo e da procriação. O tabu do incesto divide o universo de escolha sexual em categorias de parceiros sexuais permitidos ou proibidos. Em particular, isso se dá com a proibição de uniões dentro de um grupo, e a exigência de que as trocas matrimoniais se deem entre os grupos.

> A proibição do uso sexual da filha ou da irmã obriga a dar em casamento a filha ou a irmã a um outro homem e, ao mesmo tempo, cria um direito sobre a filha ou a irmã desse outro homem. [...] A mulher que nos recusamos e que nos é recusada já com isso se oferece. (Lévi-Strauss [1947] 1984: 91)

> A proibição do incesto é menos uma regra que proíbe casar-se com a mãe, a irmã ou a filha do que uma regra que obriga a dar a outrem a mãe, a irmã ou a filha. É a regra do dom por excelência. (Id. ibid.: 522)

O resultado da troca de mulheres como dádivas vai mais longe do que o efetuado por outras transações, porque as relações que se estabelecem assim não são só de reciprocidade, mas de parentesco. Os parceiros das trocas se tornam afins, e seus descendentes serão consanguíneos. "Dois grupos podem unir-se mediante relações amistosas e trocar presentes, embora disputem e combatam entre si mais tarde, mas o intercasamento liga-os de maneira permanente" (Best *apud* Lévi-Strauss [1947] 1984: 522). Como acontece no caso de outras trocas de dádivas, os casamentos nem sempre se destinam simplesmente a estabelecer a paz. Eles podem ser altamente competitivos, e há muitos afins que entram em conflito. No entanto, no sentido geral, a tese é a de que o tabu do incesto tem como consequência uma ampla rede de relacionamentos, um conjunto de pessoas cujas ligações umas com as outras constituem uma estrutura de parentesco. Todos os outros níveis, valores e sentidos da troca – incluindo os aspectos hostis – são ordenados por essa estrutura. As cerimônias de casamento relatadas na literatura etnográfica são momentos que fazem parte de uma incessante e ordenada série de outros acontecimentos, nos quais mulheres, crianças, conchas, palavras, rebanhos, nomes, peixes, antepassados, dentes de baleia, porcos, inhame, encantamentos, danças, esteiras etc. passam de mão em mão, deixando em seu rastro os vínculos que estabelecem. Parentesco é organização, e organizar traz poder. Cabe perguntar, porém, quem é objeto dessa organização.

Se as mulheres são o objeto das transações, são os homens que as dão e as recebem que estabelecem ligações entre si. Assim, a mulher é um veículo da relação, e não exatamente uma parceira da troca.[5] A troca de mulheres não implica necessariamente que as mulheres estão sendo objetificadas no sentido moderno, visto que os objetos, no mundo primitivo, estão imbuídos de qualidades altamente pessoais. No entanto, trata-se de uma troca que implica uma distinção entre quem oferta e o que é ofertado. Se as mulheres são os presentes, os homens são os parceiros de troca. E é aos parceiros, não aos presentes, que a troca recíproca confere o poder quase místico do laço social. Nas relações desse tipo de sistema, as mulheres não estão em condições de se dar conta dos benefícios de sua própria circulação. Na medida em que as relações estabelecem que os homens são aqueles que efetuam a troca de mulheres, eles é que são beneficiários do produto de tais trocas – a organização social.

> A relação global de troca que constitui o casamento não se estabelece entre um homem e uma mulher como se cada um devesse e cada um recebesse alguma coisa. Estabelece-se entre dois grupos de homens, e a mulher aí figura como um dos objetos da troca, e não como um dos membros do grupo entre os quais a troca se realiza. Isto é verdade, mesmo quando são levados em consideração os sentimentos da moça, como aliás habitualmente acontece. Aquiescendo à união proposta, a moça precipita ou permite a operação de troca, mas não pode modificar a natureza desta. (Lévi-Strauss, ibid.: 155)[6]

---

5. "O quê, você gostaria de se casar com sua irmã? O que é que há com você? Você não quer um cunhado? Não percebe que, se se casar com a irmã de outro homem e outro homem casar-se com sua irmã, você terá pelo menos dois cunhados, e ao passo que, se se casar com sua irmã, não terá nenhum? Com quem você irá caçar, com quem irá cultivar, a quem irá visitar?" (conversa arapesh, Mead [1935] 1979: 101)

6. Esta análise da sociedade em termos dos vínculos que se estabelecem entre homens por meio das mulheres torna as reações separatistas do movimento de mulheres bastante compreensíveis. Podemos perceber o separatismo como uma mutação na estrutura social, como uma tentativa de formar grupos sociais baseados em acordos não mediados entre as mulheres. Podemos também percebê-lo como uma recusa radical de que haja "direitos" dos homens sobre as mulheres, e como uma reivindicação dos direitos das mulheres sobre si mesmas.

Para se tornar parceiro em uma troca de presentes, é preciso ter algo a oferecer. Se as mulheres estão à disposição dos homens nesse sentido, não estão em condições de oferecer a si mesmas.

> "Que mulher", ponderou um jovem melpa do Norte, "seria forte o suficiente para se colocar e dizer: 'vamos preparar *moka*, vamos atrás de esposas e porcos, vamos dar nossas filhas para os homens, vamos guerrear, vamos matar nossos inimigos!'. Não, de jeito nenhum! Você não vê que elas são só umas coisinhas de nada que ficam em casa?". (Strathern 1972: 161)

Realmente, que mulher o seria? As mulheres melpa de que fala o jovem rapaz não podem ter esposas; elas *são* esposas, e o que elas têm são maridos, o que é algo muito diferente. As mulheres melpa não podem dar suas filhas a homens, porque não possuem os mesmos direitos que seus parentes do sexo masculino têm sobre as suas filhas, isto é, o direito de cedê-las (ainda que este *não* seja um direito de propriedade).

O conceito de "troca de mulheres" é sedutor e poderoso. Torna-se particularmente atraente por situar a opressão das mulheres nos sistemas sociais, e não na biologia. Além disso, ele sugere que busquemos o locus último da opressão das mulheres no tráfico de mulheres, e não no tráfico de mercadorias. Certamente, não é difícil encontrar exemplos etnográficos e históricos do tráfico de mulheres.

As mulheres são dadas em casamento, tomadas durante os combates, trocadas com o objetivo de conseguir favores, enviadas como tributo, trocadas, compradas e vendidas. Longe de se limitarem ao mundo "primitivo", essas práticas parecem inclusive ter se tornado mais pronunciadas e comercializadas na maioria das sociedades "civilizadas". É certo que existe também o tráfico de homens, mas como escravos, prostitutos, estrelas do atletismo, servos ou outro status social catastrófico, e não como homens. As mulheres são negociadas como escravas, servas e prostitutas, mas também simplesmente como mulheres. E se ao longo de grande parte da história humana os homens têm atuado como sujeitos sexuais – aqueles que realizam as trocas – e as mulheres, como semiobjetos sexuais – aquelas que são presenteadas –, uma série de costumes, clichês e traços de personalidade parecem fazer todo sentido (entre outros, o costume curioso pelo qual um pai entrega a noiva ao noivo).

A "troca de mulheres" é também um conceito problemático. Se, como argumenta Lévi-Strauss, o tabu do incesto e as consequências de sua aplicação estão na origem da cultura, podemos deduzir que a derrota das mulheres, ao longo da história e em âmbito mundial, ocorreu com a origem da cultura, e é um pré-requisito da cultura. Se adotarmos a análise de Lévi-Strauss em sua forma pura, o programa feminista deve incluir uma tarefa ainda mais difícil do que o extermínio dos homens; ele deve tentar eliminar a cultura e substituí-la por um fenômeno nunca antes visto na face da terra. No entanto, dizer que sem a existência da troca de mulheres não haveria cultura seria, no mínimo, um argumento duvidoso, mesmo porque a cultura é, por definição, inventiva. É mesmo questionável que a "troca de mulheres" seja uma expressão adequada para descrever toda e qualquer evidência empírica dos sistemas de parentesco. Algumas culturas, como os Lele e os Kuma, trocam mulheres explícita e visivelmente. Em outras, concluímos por inferência que a prática da troca de mulheres existe. Em algumas – especialmente as dos caçadores-coletores que ficam de fora da amostra de Lévi-Strauss – a validade do conceito se mostra bastante questionável. O que pode ser feito de um conceito que parece tão útil e ainda assim tão complicado?

A "troca de mulheres" não é nem uma definição de cultura nem um sistema em si. O conceito é uma compreensão aguda, mas condensada, de alguns aspectos das relações de sexo e de gênero. Um sistema de parentesco é uma imposição de fins sociais a uma parte do mundo natural. Ele é, portanto, uma "produção" no sentido mais geral: uma modelagem, uma transformação de objetos (neste caso, pessoas) para e com um propósito subjetivo (sobre esse sentido da palavra "produção", ver Marx [1859] 1985: 77-93). Ele possui suas próprias relações de produção, distribuição e troca, que envolvem certas formas de "propriedade" sobre as pessoas. Essas formas não são direitos de exclusividade, direitos de propriedade privada, mas diferentes tipos de direitos que pessoas diferentes têm sobre as outras. As operações de casamento – os presentes e os bens materiais que circulam durante as cerimônias que marcam o casamento – são uma rica fonte de informações para determinar exatamente quem tem direitos sobre quem. Não é difícil deduzir dessas transações, na maioria dos casos, que os direitos das mulheres são consideravelmente mais residuais que os dos homens.

Não se trata simplesmente de haver troca de mulheres nos sistemas de parentesco. Os sistemas de parentesco trocam acesso à sexualidade, status genealógicos, nomes de linhagens e de ancestrais, direitos e *pessoas* – homens, mulheres e crianças – em sistemas concretos de relações sociais. Essas relações sempre incluem certos direitos para os homens, e outros para as mulheres. "Troca de mulheres" é um termo resumido para expressar que as relações sociais de um sistema de parentesco especificam certos direitos dos homens sobre suas parentes mulheres, e que as mulheres não possuem os mesmos direitos, nem sobre elas próprias, nem sobre seus parentes homens. Nesse sentido, a troca de mulheres é uma percepção profunda de um sistema no qual as mulheres não possuem plenos direitos sobre si mesmas. O entendimento da troca de mulheres se complica se ela é vista como necessidade cultural ou utilizada como único instrumento de análise de um dado sistema de parentesco.

Se Lévi-Strauss tem razão em ver a troca de mulheres como um princípio fundamental do parentesco, a subordinação das mulheres pode ser considerada como um produto das relações que organizam e produzem o sexo e o gênero. A opressão econômica das mulheres é algo derivado e secundário. No entanto, existe uma "economia" do sexo e do gênero, e uma economia política dos sistemas sexuais se faz necessária. É preciso estudar cada sociedade para identificar os mecanismos exatos que produzem e mantêm suas próprias convenções sobre a sexualidade. A "troca de mulheres" é um primeiro passo na construção de um arsenal de conceitos aptos a descrever os sistemas sexuais.

Labirinto adentro

Outros conceitos podem ser depreendidos a partir de um ensaio de Lévi-Strauss chamado "A família", no qual ele apresenta outras considerações em sua análise do parentesco. Em *As estruturas elementares do parentesco*, ele descreve regras e sistemas de arranjo sexual. Em "A família", levanta a questão das condições necessárias para que os sistemas de casamento operem. À luz de uma análise da divisão sexual do trabalho, pergunta-se que tipo de "pessoas" os sistemas de parentesco requerem.

Ainda que todas as sociedades tenham alguma forma de divisão do trabalho em função do sexo, a atribuição de determinada tarefa a um ou a outro sexo é extremamente variável. Em alguns grupos, a agricultura é um trabalho feito pelas mulheres; em outros, pelos homens. Há mesmo casos em que as mulheres são caçadoras e guerreiras, e os homens cuidam das crianças. As mulheres têm o fardo mais pesado em algumas sociedades; em outras, os encarregados disso são os homens. A divisão do trabalho de acordo com o sexo, conclui Lévi-Strauss a partir de uma de suas análises, não decorre de uma especialização biológica; ela deve ter algum outro propósito. Esse propósito, afirma ele, é assegurar a união entre homens e mulheres, fazendo com que a menor unidade econômica viável inclua pelo menos um homem e uma mulher.

> O próprio fato de que [a divisão sexual do trabalho] varia incessantemente de sociedade para sociedade mostra que [...] é a mera realidade da sua existência o que é misteriosamente necessário, enquanto que a forma sob a qual aparece não é de modo algum importante pelo menos do ponto de vista de qualquer necessidade natural [...] a divisão sexual do trabalho não é mais do que um dispositivo para instituir um estado recíproco de dependência entre os sexos. (Lévi-Strauss [1956] 1982: 30)

A divisão do trabalho por sexo, portanto, pode ser vista como um "tabu": um tabu contra a uniformidade entre homens e mulheres, um tabu que divide os sexos em duas categorias mutuamente excludentes, um tabu que exacerba as diferenças biológicas entre os sexos e, dessa forma, cria o gênero. A divisão do trabalho também pode ser vista como um tabu contra arranjos sexuais diferentes daqueles que envolvam pelo menos um homem e uma mulher, prescrevendo, assim, o casamento heterossexual.

O argumento apresentado em "A família" expõe um questionamento radical de todos os arranjos sexuais da humanidade, indicando que nenhum aspecto da sexualidade pode ser tomado como "natural" (Hertz 1960, segue um raciocínio semelhante ao sugerir que a desqualificação dos canhotos pode ser explicada de modo estritamente cultural). Todas as formas manifestas do sexo e do gênero são vistas, aqui, como impostas pelos imperativos dos sistemas sociais. De acordo com essa perspectiva, podemos considerar que mesmo as *Estruturas elementares do parentesco* respeitam certas condições prévias. De um ponto de vista puramente lógico, uma regra que proíbe certos casamentos e prescreve outros pressupõe a existência de uma regra que exige que o casamento ocorra. E o casamento pressupõe que indivíduos estejam dispostos a se casar.

É interessante levar esse tipo de exercício dedutivo ainda mais longe que Lévi-Strauss, e explicar a estrutura lógica subjacente a toda a sua análise do parentesco. No nível mais geral, a organização social do sexo é baseada no gênero, na heterossexualidade compulsória e na imposição de restrições à sexualidade feminina.

O gênero é uma divisão de sexos imposta socialmente. Ele é produto das relações sociais de sexualidade. Os sistemas de parentesco se baseiam no casamento. Eles, portanto, transformam pessoas do sexo masculino e pessoas do sexo feminino em "homens" e "mulheres", como se cada uma dessas metades incompletas só encontrasse a completude quando unida à outra. Homens e mulheres são, certamente, diferentes; mas não são diferentes como dia e noite, terra e céu, *yin* e *yang*, vida e morte. De fato, do ponto de vista da natureza, os homens e as mulheres estão mais próximos uns dos outros do que qualquer outra coisa – mais, por exemplo, do que montanhas, cangurus ou coqueiros. A ideia de que homens e mulheres são diferentes entre si mais do que qualquer outra coisa deve vir de algum lugar fora da natureza. Ademais, embora haja uma diferença normal entre homens e mulheres em uma série de aspectos, o espectro de variação desses traços revela considerável sobreposição. Haverá sempre mulheres que serão, por exemplo, mais altas que alguns homens, mesmo que os homens sejam, em média, mais altos. Mas a ideia de que os homens e as mulheres são duas categorias mutuamente excludentes deve vir de algo diferente de uma oposição "natural" – que, por sinal, não existe.[7] Longe de ser uma expressão de diferenças naturais, a identidade de gênero exclusiva é a supressão de semelhanças naturais. E isso demanda repressão: nos homens, do que quer que seja a versão local de traços "femininos"; nas mulheres, do que quer que seja a versão local de traços "masculinos". A divisão dos sexos tem como efeito suprimir certas características de personalidade de praticamente todas as pessoas, homens e mulheres. Este é o

---

7. "A mulher não usará roupas de homem, e o homem não usará roupas de mulher, pois o Senhor, o seu Deus, tem aversão por todo aquele que assim procede" (Deuteronômio, 22:5).

mesmo sistema social que oprime as mulheres nas relações de troca nele vigentes, e que oprime a todos com sua insistência em uma divisão rígida de personalidade.

Além disso, o gênero é incutido nos indivíduos de modo a assegurar o casamento. Lévi-Strauss chega perigosamente perto de dizer que a heterossexualidade é um processo instituído. Se os imperativos biológicos e hormonais fossem tão assoberbantes quanto quer a mitologia popular, a interdependência econômica não seria necessária para garantir as uniões heterossexuais. Ademais, o tabu do incesto pressupõe a existência de um tabu anterior, menos explícito, sobre a homossexualidade. A proibição de determinadas uniões heterossexuais pressupõe um tabu contra uniões não heterossexuais. O gênero não é apenas uma identificação com um sexo; ele também implica que o desejo sexual se dirija ao outro sexo. A divisão sexual do trabalho entra em jogo com respeito a ambos os aspectos de gênero – ela cria homens e mulheres, e os cria como heterossexuais. A supressão do componente homossexual da sexualidade humana e seu corolário, a opressão dos homossexuais, são, portanto, produto do mesmo sistema cujas regras e relações oprimem as mulheres.

Na verdade, a situação não é tão simples, como fica claro se passarmos do nível das generalidades para a análise de sistemas sexuais específicos. Não se trata apenas de os sistemas de parentesco incentivarem a heterossexualidade em detrimento da homossexualidade. Em primeiro lugar, pode-se exigir formas específicas de heterossexualidade. Por exemplo, alguns sistemas de casamento têm como regra a obrigação do casamento entre primos cruzados. Em tal sistema, uma pessoa não só é heterossexual, mas é "sexual para os primos cruzados". Se, além disso, a regra especifica que o casamento deve se dar com uma prima cruzada matrilinear, o homem será "sexual com a filha do irmão de sua mãe", e a mulher, "sexual com o filho da irmã de seu pai".

Por outro lado, a própria complexidade de um sistema de parentesco pode resultar em formas particulares de homossexualidade institucionalizada. Em muitos grupos da Nova Guiné, homens e mulheres são considerados tão hostis entre si que o período em que uma criança do sexo masculino passa no útero suprime sua masculinidade. Como se acredita que a força da vida masculina reside no sêmen, o menino pode superar os efeitos nocivos de sua história fetal ao receber e consumir sêmen. Isso se dá por meio de uma relação homossexual com um parente mais velho (Kelly 1976; ver também Van Baal 1966, e Williams 1936).

Nos sistemas de parentesco em que o pagamento do dote pelo noivo à família da noiva determina os status de marido e esposa, os simples pré-requisitos de casamento e gênero podem ser ignorados. Entre os Azande, as mulheres são monopolizadas pelos homens mais velhos. Um jovem com recursos pode, no entanto, tomar um menino como esposa enquanto não chega à idade suficiente para desposar uma mulher. Ele simplesmente paga um dote (sob a forma de lanças) ao garoto, que assim passa a ser considerado uma esposa (Evans-Pritchard 1970). Em Daomé, uma mulher poderia se transformar em marido caso possuísse o dote necessário (Herskovitz 1937).

O "travestismo" institucionalizado dos Mohave permitia que uma pessoa mudasse de um sexo para outro. Por meio de uma cerimônia especial, uma pessoa considerada homem do ponto de vista anatômico poderia se tornar mulher, e uma pessoa considerada mulher do ponto de vista anatômico também poderia se tornar homem. Após essa transformação, a pessoa poderia desposar alguém de seu mesmo sexo, homem ou mulher, considerado do ponto de vista anatômico, ou do sexo oposto, considerado do ponto de vista social. Esses casamentos, que nós chamaríamos de homossexuais, eram heterossexuais de acordo com os padrões mohave – uniões entre pessoas de sexos opostos definidos socialmente. Em comparação com a nossa sociedade, esse sistema concedia bastante liberdade. No entanto, não era permitido que alguém pertencesse a ambos os gêneros – ele/ela poderia ser homem ou mulher, mas não um pouco de cada (Devereux 1937; ver também McMurtrie 1914, e Sonenschein 1966).

Em todos os exemplos acima, as regras de divisão dos gêneros e de heterossexualidade compulsória estão presentes, mesmo quando há transformações entre um e outro sexo. Essas duas regras também dizem respeito às restrições associadas ao comportamento e à personalidade masculinos e femininos. Os sistemas de parentesco determinam que a sexualidade de ambos os sexos seja esculpida de uma determinada forma. Mas pode-se deduzir, a partir de *As estruturas elementares do parentesco*, que uma pressão maior é exercida sobre as mulheres, e não sobre os homens, no sentido de conformá-las ao sistema de parentesco. Na troca de mulheres, seja qual for o sentido em que se tome o termo, as dívidas conjugais são calculadas pela carne feminina. Obriga-se uma mulher a ser parceira sexual de um homem a quem ela é devida como compensação por um casamento prévio. Se uma garota prometida em casamento na infância se recusar, quando adulta, a cumprir o acordo, ela interrompe todo um fluxo de dívidas e compromissos. Para que esse sistema continue a funcionar sem problemas, é desejável que a mulher em questão não tenha muitas ideias próprias sobre com quem gostaria de dormir. Do ponto de vista do sistema, é preferível que a sexualidade feminina corresponda ao desejo dos outros, e não que deseje e busque ser correspondida ativamente.

Essa apreciação geral, assim como aquelas relacionadas ao sexo e à heterossexualidade, também está sujeita a variações consideráveis e ao livre funcionamento que vigoram em sistemas reais. Os Lele e os Kuma oferecem dois dos mais claros exemplos etnográficos da troca de mulheres. Em ambas as culturas, os homens estão constantemente envolvidos em esquemas que exigem total controle sobre o destino sexual de suas parentes mulheres. O grande drama encontrado nessas duas sociedades vem das tentativas feitas pelas mulheres para escapar do controle sexual dos seus parentes homens. Contudo, a resistência das mulheres, em ambos os casos, é severamente repreendida (Douglas 1963; Reay 1959).

Poderíamos formular uma consideração geral final como consequência previsível da troca de mulheres em um sistema em que são os homens que detêm os direitos sobre as mulheres. O que aconteceria se a nossa mulher hipotética não só recusasse o homem a quem foi prometida, mas quisesse se casar com uma mulher em seu lugar? Se uma recusa apenas já seria perturbadora, uma recusa dupla surtiria um verdadeiro efeito de insurreição. Se cada uma das duas mulheres tivesse sido prometida a um homem, nenhuma delas teria o direito de dispor de si mesma. Se duas mulheres fizessem uma manobra para se desembaraçar das dívidas em que estão implicadas, seria necessário encontrar outras duas mulheres para substituí-las. Se os homens têm direitos sobre as mulheres que estas não têm sobre si mesmas, faz sentido esperar que a homossexualidade entre as mulheres seja mais reprimida que entre os homens.

Em suma, pode-se deduzir algumas generalidades básicas a respeito da organização da sexualidade humana a partir de uma exegese das teorias de Lévi-Strauss sobre o parentesco, a saber, o tabu do incesto, a heterossexualidade compulsória e a divisão assimétrica dos sexos. Da assimetria de gênero – a diferença entre aquele que troca e o que é trocado – decorre a repressão da sexualidade da mulher. Os sistemas de parentesco concretos têm convenções mais específicas, e essas convenções são muito diversas. À medida que os sistemas sociossexuais particulares diferem, cada um deles é único, e os indivíduos que fazem parte deles têm de se conformar a um conjunto limitado de possibilidades. Cada nova geração deve estar ciente de seu destino sexual e se adequar a ele, cada pessoa deve ser codificada de acordo com um status compatível com o sistema. Para nós, seria extraordinário imaginar que, com base nas convenções, deveríamos nos casar com a filha do irmão da nossa mãe, ou com o filho da irmã do nosso pai. No entanto, há grupos nos quais esse futuro conjugal é tomado como certo.

A antropologia e as descrições de sistemas de parentesco não explicam os mecanismos que inscrevem as convenções de sexo e de gênero nas crianças. Já a psicanálise é uma teoria que trata da reprodução do parentesco. Ela descreve os vestígios deixados nos indivíduos pelo seu confronto com as regras e os regulamentos ligados à sexualidade nas sociedades em que nascem.

O mal-estar na psicanálise

A batalha entre a psicanálise e os movimentos feminista e gay se tornou lendária. Esse confronto entre os revolucionários sexuais e o *establishment* clínico teve como causa, em parte, o desenvolvimento da psicanálise nos Estados Unidos, onde a tradição clínica veio a fetichizar a anatomia. A criança foi pensada como passando de um estágio orgânico a outro, até atingir o que lhe estava previsto anatomicamente e o destino a ela reservado. A prática clínica tem muitas vezes considerado que sua missão consiste na recuperação dos indivíduos que de uma forma ou de outra vêm a atrapalhar o caminho de sua finalidade "biológica". Ao transformar a lei moral na lei científica, a prática clínica tem sido usada para impor a norma sexual aos indisciplinados. Nesse sentido, a psicanálise muitas vezes mostrou ser mais do que uma teoria dos mecanismos de reprodução dos arranjos sexuais; ela mesma se tornou muitas vezes um desses mecanismos. Como o objetivo dos movimentos feminista e gay é desmantelar os dispositivos de repressão da sexualidade, uma crítica da psicanálise se fez necessária.

No entanto, a rejeição de Freud pelos movimentos feminista e gay tem raízes mais profundas, que se encontram na rejeição, pela psicanálise, de seus próprios *insights*. Os efeitos que os sistemas sociais dominados por homens produzem sobre as mulheres estão muito bem documentados na literatura clínica, mais do que em qualquer outro lugar. De acordo com a ortodoxia freudiana, a conquista da feminilidade "normal" custa caro para as mulheres.

A teoria da aquisição do gênero poderia ter sido o ponto de partida de uma crítica dos papéis sexuais. Em vez disso, as implicações radicais da teoria freudiana foram radicalmente suprimidas. Essa tendência já se mostra de forma evidente na formulação original da teoria, mas se exacerbou de tal forma ao longo do tempo que o potencial de uma teoria psicanalítica crítica em relação ao gênero passa a ser visível apenas na sintomatologia de sua negação – uma complexa racionalização dos papéis sexuais como se apresentam. Meu objetivo aqui não é fazer uma psicanálise do inconsciente psicanalítico; mas espero, ainda assim, mostrar que ele existe. Além disso, desejar salvar a psicanálise de suas próprias motivações de repressão não se faz em proveito da reputação de Freud. A psicanálise dispõe de um conjunto único de conceitos para a compreensão dos homens, das mulheres e da sexualidade. Trata-se de uma teoria da sexualidade na sociedade humana. E o mais importante é que a psicanálise oferece uma descrição dos mecanismos pelos quais os sexos são divididos e modificados, de como crianças andróginas, bissexuais, são transformadas em meninos e meninas.[8] A psicanálise é uma teoria feminista que não chegou a se configurar plenamente como tal.

---

8. "É impossível ignorar, no estudo das mulheres, os métodos de uma ciência do psiquismo, uma teoria que tenta explicar como as mulheres se tornam mulheres e os homens, homens. O limite entre o campo biológico e o campo social, que encontra expressão na família, é o terreno mapeado pela psicanálise, o terreno em que a diferença sexual se origina" (Mitchell 1971: 167).

"Qual é o objeto da psicanálise? [...] [senão] os 'efeitos', prolongados no adulto sobrevivente, da extraordinária aventura que, desde o nascimento até a liquidação do complexo de Édipo, transforma um animalzinho engendrado por um homem e uma mulher numa criancinha humana [...] os 'efeitos' atuais, nos sobreviventes, da hominização forçada do animalzinho humano em homem ou em mulher" (Althusser [1964] 1985: 61-64; ênfase no original).

O Édipo Rei

Até o final dos anos 1920, o movimento psicanalítico não tinha nenhuma teoria específica tratando do desenvolvimento das mulheres. Em vez disso, haviam sido propostas variações de um complexo de "Electra" no caso das mulheres, nas quais se pensava a experiência feminina como uma imagem espelhada do complexo de Édipo descrito no caso dos homens. O menino amava a sua mãe, mas abdicava dela por medo da ameaça de castração por parte do pai. A menina, pensava-se, amava o pai, mas abdicava dele por medo da vingança materna. Essa formulação supunha que ambas crianças estavam submetidas a um imperativo biológico que conduziria à heterossexualidade. Ela também supunha que as crianças eram, já antes da fase edípica, "pequenos" homens e "pequenas" mulheres.

Freud chegou a expressar reserva em relação a tirar conclusões precipitadas sobre as mulheres com base em dados coletados entre homens. Mas as suas objeções só deixaram de ter caráter geral a partir da descoberta da fase pré-edípica nas mulheres. O conceito de estágio pré-edípico possibilitou a Freud e a Jeanne Lampl-de Groot o desenvolvimento da teoria psicanalítica clássica da feminilidade.[9] A ideia da fase pré-edípica nas mulheres levou a um deslocamento de pressupostos provenientes da biologia

---

9. As teorias psicanalíticas de feminilidade foram desenvolvidas no contexto de um debate que se deu principalmente no *International Journal of Psychoanalysis* e no *The Psychoanalytic Quarterly* no final dos anos 1920 e início dos anos 1930. Entre os artigos representativos das discussões da época, podemos citar os de Freud [1925] 2011, [1933] 2010 e [1931] 2010; Lampl-De Groot 1933, 1948; Deutsch 1948a, 1948b; Horney 1973; e Jones 1933; Chasseguet-Smirgel (1970, Introdução) oferece o cronograma original. O que apresento aqui é uma simplificação de um debate mais complexo. Freud, Jeanne Lampl-de Groot e Helene Deutsch acreditavam que a feminilidade se desenvolve a partir de uma bebê-menina "fálica" bissexual; Horney e Jones argumentavam em favor de uma feminilidade inata. O debate não se deu sem ironias. Horney tomou a defesa das mulheres contra a inveja do pênis, postulando que a feminilidade era inata, e não construída; Deutsch, que considerava que a feminilidade era construída e não dada no nascimento, desenvolveu uma teoria do masoquismo feminino que apenas encontra um rival à altura no romance *História de O*. Atribuo a parte central da versão "freudiana" do desenvolvimento feminino tanto a Freud como a Lampl-de Groot. Estudando os artigos, pareceu-me que a teoria é tanto dela quanto dele (se não mais).

O tráfico de mulheres **37**

nos quais a teoria do complexo de Electra se assenta. Na fase pré-edípica, crianças de ambos os sexos seriam consideradas indistinguíveis do ponto de vista psíquico, o que significaria que sua diferenciação, em crianças do sexo masculino e feminino, tinha de ser explicada, e não tomada como dada. As crianças em fase pré-edípica foram descritas como bissexuais. Ambos os sexos demonstravam o quadro completo de atitudes libidinais, ativas e passivas. E para as crianças de ambos os sexos, o objeto de desejo era a mãe.

Em particular, as características da mulher em fase pré-edípica colocavam em questão a ideia de uma heterossexualidade e de uma identidade de gênero primordiais. Como a atividade libidinal da menina se dirigia à mãe, sua heterossexualidade na vida adulta tinha de ser explicada:

> Teríamos uma solução de simplicidade ideal se pudéssemos supor que a partir de certa idade vigora a atração heterossexual e impele a pequena mulher para o homem [...]. Mas as coisas não devem ser tão fáceis para nós; mal sabemos se é possível acreditar seriamente naquele poder misterioso, recalcitrante à análise, que tanto entusiasma os poetas. (Freud [1933] 2010: 272-73)

Ademais, a menina não apresentava uma atitude libidinal "feminina". Como seu desejo pela mãe era ativo e agressivo, sua expressão final sob a forma de "feminilidade" também precisava ser explicada:

> É próprio da peculiaridade da psicanálise, então, que ela não se ponha a descrever o que é a mulher [...], mas investigue como a mulher vem a ser, como se desenvolve a partir da criança inatamente bissexual. (Id. ibid.: 269)

Em suma, não era mais possível tomar como certo que o desenvolvimento feminino seria um reflexo biológico. A questão, pelo contrário, havia se tornado extremamente problemática. É ao explicar a aquisição da "feminilidade" que Freud utiliza os conceitos de inveja do pênis e de castração, que tanto têm enfurecido feministas desde que foram introduzidos. A menina se afasta da mãe e reprime os elementos "masculinos" de sua libido por reconhecer sua própria castração. Ela compara seu pequeno clitóris com o pênis, que é maior, e diante da capacidade evidentemente superior deste para satisfazer a mãe, ela se torna vítima da inveja do pênis e de um sentimento de inferioridade. Ela desiste de lutar pela mãe e assume uma postura feminina passiva em relação ao pai. O modo como Freud expõe a questão pode ser entendido como uma afirmação de que a feminilidade é uma consequência das diferenças anatômicas entre os sexos. É por isso que ele foi acusado de determinismo biológico. No entanto, mesmo em suas versões do complexo de castração em que termos mais anatômicos são empregados, a "inferioridade" dos órgãos genitais das mulheres figura como produto de um contexto definido: a menina se sente menos "equipada" para possuir e satisfazer a mãe. Se a lésbica pré-edípica não se confrontasse com a heterossexualidade da mãe, poderia talvez tirar conclusões diferentes sobre o status relativo de seus órgãos genitais.

Freud nunca chegou a ser tão determinista do ponto de vista biológico como reivindicariam alguns. Ele enfatizou repetidamente que qualquer forma de sexualidade adulta resulta de um desenvolvimento psíquico, e não biológico. Mas seus escritos são muitas vezes ambíguos, e suas formulações deixaram margem para as interpretações biológicas que vieram a se tornar tão populares na psicanálise americana. Na França, por outro lado, a tendência da teoria psicanalítica foi a de desbiologizar Freud, e conceber a psicanálise mais como uma teoria da informação, e não dos órgãos. Jacques Lacan, que esteve na origem dessa linha de pensamento, argumenta que Freud nunca teve a intenção de dizer nada a respeito de anatomia, e que a teoria de Freud tratava, na verdade, da linguagem e dos significados culturais impostos à anatomia. O debate sobre o "verdadeiro" Freud é extremamente interessante, mas meu objetivo aqui não é contribuir para ele. O que procurarei fazer, após apresentar algumas das peças do tabuleiro conceitual de Lacan, será reformular a teoria clássica da feminilidade de acordo com a terminologia oferecida por ele.

O parentesco, Lacan e o falo

Lacan sugere que a psicanálise é o estudo dos vestígios deixados no psiquismo dos indivíduos como resultado de seu enquadramento nos sistemas de parentesco.

> Não é patente que um Lévi-Strauss, ao sugerir a implicação das estruturas da linguagem e da parte das leis sociais que rege a aliança e o parentesco, já vai conquistando o terreno mesmo em que Freud assenta o inconsciente (Lacan [1966] 1998: 286)

> Pois onde situar, por gentileza, as determinações do inconsciente senão nos quadros nominais em que se baseiam desde sempre, no ser falante que somos, a aliança e o parentesco [...]. E como apreender os conflitos analíticos e seu protótipo edipiano fora dos compromissos que fixaram, muito antes de o sujeito vir ao mundo, não apenas seu destino, mas sua própria identidade? (Id. [1953] 2003: 143-44)

> É justamente nesse sentido que o complexo de Édipo [...] será declarado em nossa postulação como marcando os limites que nossa disciplina atribui à subjetividade: ou seja, aquilo que o sujeito pode conhecer de sua participação inconsciente no movimento das estruturas complexas da aliança, verificando os efeitos simbólicos, em sua existência particular, do movimento tangencial para o incesto [...]. (Id. ibid.: 278)

O parentesco é a culturalização da sexualidade biológica no nível da sociedade; a psicanálise descreve a transformação da sexualidade biológica dos indivíduos pelo processo de enculturação.

A terminologia do parentesco inclui informações sobre o seu sistema. Os termos do parentesco delimitam status e indicam alguns de seus atributos. Nas ilhas Trobriand, por exemplo, um homem chama as mulheres de seu clã pelo termo utilizado para indicar "irmã". Ele chama as mulheres dos clãs nos quais ele pode escolher uma esposa por um termo que indica que elas podem se casar com ele. Ao aprender esses termos, o jovem trobriandês toma também conhecimento das mulheres que pode, com segurança, desejar. Segundo o modelo lacaniano, a crise edípica ocorre quando uma criança aprende as regras sexuais incutidas nos termos relativos à família e aos parentes. A crise se inicia quando a criança compreende o sistema e o lugar que nele ocupa; a crise se resolve quando a criança aceita esse lugar e consente com ele. Ainda que a criança recuse esse lugar, não tem como deixar de tomar conhecimento dele. Antes da fase edípica, a sexualidade da criança é instável e relativamente pouco estruturada. Cada criança tem em si todas as possibilidades sexuais disponíveis à expressão humana. No entanto, em qualquer sociedade, apenas algumas dessas possibilidades encontrarão expressão, enquanto outras serão reprimidas. Quando a criança deixa a fase edípica, sua libido e sua identidade de gênero já foram organizadas em conformidade com as regras da cultura que a domestica.[10]

O complexo de Édipo é um dispositivo de produção de personalidade sexual. É um truísmo dizer que as sociedades inculcam em seus jovens certas características adequadas à continuidade do funcionamento dessa sociedade. Por exemplo, E. P. Thompson ([1963] 1987) fala das mudanças operadas na estrutura da personalidade da classe trabalhadora inglesa quando os artesãos foram se transformando em bons operários da indústria. Assim como as formas sociais de trabalho requerem certos tipos de personalidade, as formas sociais de sexo e gênero requerem determinados tipos de pessoas. Em termos mais gerais, o complexo de Édipo é uma máquina que molda as formas apropriadas de indivíduos no que diz respeito à sexualidade (ver também a discussão de várias formas de "individualidade histórica" em Althusser [1968] 1980: 207-14).

Segundo a teoria psicanalítica lacaniana, são os termos de parentesco que indicam a estrutura de relações que determina a função de qualquer indivíduo ou objeto no drama edípico. Por exemplo, Lacan faz uma distinção entre a "função do pai" e um pai em particular que encarna essa função. Da mesma forma, ele faz uma distinção radical entre o pênis e o "falo", entre o órgão e a informação. O falo é um conjunto de significações atribuídas ao pênis. A diferenciação entre o falo e o pênis na terminologia psicanalítica francesa contemporânea enfatiza a ideia de que o pênis não poderia desempenhar e não desempenha o papel que lhe foi atribuído na terminologia clássica do complexo de castração.[11]

---

10. Os desejos eróticos e as identidades de gênero podem, claro, desviar-se dos destinos que lhes foram proscritos. Mas mesmo o desvio é moldado dentro de parâmetros disponíveis histórica e socialmente.

11. Minha posição em relação a Freud se situa em algum lugar entre as interpretações estruturalistas francesas e as interpretações biologizantes norte-americanas, pois penso que as formulações de Freud se encontram entre ambas. De fato, Freud fala do pênis, da "inferioridade" do clitóris, das consequências psíquicas da anatomia. Os lacanianos, por outro lado, argumentam que o texto de Freud é ininteligível se tomarmos suas palavras literalmente, e

Na terminologia de Freud, o complexo de Édipo oferece à criança duas alternativas: ter um pênis ou ser castrada. Em vez disso, a teoria lacaniana do complexo de castração abandona quaisquer referências à realidade anatômica:

> A teoria do complexo de castração caracteriza o órgão masculino como exercendo um papel dominante – desta vez como símbolo – *na medida em que sua ausência ou sua presença transforma uma diferença anatômica em uma das principais formas de classificação dos seres humanos e, na medida em que, para cada sujeito, essa presença ou ausência não é tomada como certa, não é reduzida pura e simplesmente a um dado, mas é o resultado problemático de um processo intra e intersubjetivo* (a maneira como o sujeito concebe seu próprio sexo). (Lapanche & Pontalis, in Mehlman 1972: 198-99, grifo meu)

A alternativa que se apresenta à criança pode ser reformulada nos seguintes termos: ter ou não ter o falo. A castração é não ter o falo (simbólico). A castração não é uma "falta" real, mas um significado conferido aos genitais de uma mulher:

> A castração pode se alicerçar na [...] apreensão, no Real, da ausência do pênis na mulher – mas mesmo isso supõe uma simbolização do objeto, já que o Real é completo e não lhe "falta" nada. Nessa medida, quando percebemos a castração como estando situada na gênese da neurose, ela não é jamais algo real, mas simbólico. (Wilden 1968: 271)

O falo é, por assim dizer, um traço distintivo que define "castrados" e "não castrados". A presença ou ausência do falo acarreta diferenças entre dois status sexuais, "homem" e "mulher" (sobre traços distintivos, ver Jakobson & Halle 1971). Considerando que estes não são iguais, o falo também comporta um sentido de domi-

---

que podemos inferir que a intenção de Freud era propor uma teoria totalmente não anatômica (ver Althusser [1968] 1980). Acredito que eles estão certos. O pênis é evidente demais para que tomemos seu papel no sentido literal. A proeminência do pênis e a sua transformação em fantasia (por exemplo, pênis = fezes = criança = dádiva) sugerem fortemente uma interpretação simbólica. No entanto, não acho que Freud tenha sido tão consistente quanto eu, ou Lacan, gostaríamos que tivesse sido, e alguns gestos devem ser feitos em relação ao que ele disse, ainda que brinquemos com aquilo que ele provavelmente quis dizer.

nação dos homens sobre as mulheres, e pode-se inferir que a "inveja do pênis" é um reconhecimento disso. Além disso, como os homens têm direitos sobre as mulheres que estas não têm sobre si mesmas, o falo também comporta o sentido da diferença entre "aquele que troca" e "aquilo que é trocado", entre o presente e aquele que o oferta. Finalmente, nem a teoria clássica freudiana do processo edípico nem sua reformulação lacaniana fazem sentido, a menos que esses aspectos das relações paleolíticas de sexualidade, no mínimo, ainda estejam entre nós. Nós continuamos a viver em uma cultura "fálica".

Lacan também se refere ao falo como um objeto simbólico que é negociado no interior das famílias e entre elas (ver também Wilden ibid.: 303-05). É interessante pensar a respeito disso no contexto das transações de casamento e redes de troca primitivas. Nessas transações, a troca de mulheres é geralmente apenas um ciclo em meio a um grande conjunto de trocas. Normalmente, há outros objetos circulando, além das mulheres. As mulheres seguem em uma direção; o gado, as conchas e as esteiras, em outra. Em um certo sentido, o complexo de Édipo é uma expressão da circulação do falo na troca intrafamiliar, a figura inversa da circulação de mulheres na troca interfamiliar. No ciclo de trocas que se manifestam pelo complexo de Édipo, o falo passa pelas mulheres de um homem para outro – de pai para filho, do irmão da mãe para o filho da irmã, e assim por diante. No círculo de troca familiar *kula*, as mulheres seguem em uma direção; o falo, outra. O falo está onde nós não estamos. Nesse sentido, ele é mais que uma característica que distingue os sexos: ele é a encarnação do status masculino, com o qual os homens consentem, e do qual certos direitos são parte inerente – entre outros, o direito a uma mulher. É uma expressão da transmissão do domínio masculino. Ele é transmitido através das mulheres e se estabelece entre os homens.[12] Alguns dos rastros que deixa são a identidade de gênero e

---

12. A mãe pré-edípica é a "mãe fálica". Acredita-se, por exemplo, que ela possui o falo. A informação induzida pelo Édipo é de que a mãe não possui o falo. Em outras palavras, a crise é precipitada pela "castração" da mãe, pelo reconhecimento de que o falo somente passa através dela, mas não está fixado nela. O "falo" deve passar através dela, visto que a relação de um homem com todos os outros homens é definida através de uma mulher. Um homem se vincula a um filho através de uma mãe, a um sobrinho através de uma irmã etc. Toda re-

a divisão dos sexos. Mas ele deixa mais que isso. Deixa também a "inveja do pênis", que se torna bastante significativa do desconforto das mulheres em uma cultura fálica.

Retorno ao Édipo

Voltemos agora aos dois andróginos pré-edípicos, situados na fronteira entre a biologia e a cultura. Lévi-Strauss situa o tabu do incesto nessa fronteira, argumentando que a troca de mulheres suscitada por esse tabu constitui a origem da sociedade. Nesse sentido, o tabu do incesto e a troca de mulheres são a matéria do contrato social original (ver Sahlins 1972, capítulo 4). Para os indivíduos, a crise edípica ocorre na mesma linha divisória, quando o tabu do incesto instaura a troca do falo.

A crise edípica é precipitada por algumas informações específicas. As crianças descobrem as diferenças entre os sexos, e que cada criança deve se tornar de um ou outro gênero. Elas descobrem também o tabu do incesto, e a proibição de certos aspectos da sexualidade – no caso, a mãe não está disponível para nenhuma das crianças, porque "pertence" ao pai. Finalmente, elas descobrem que os dois gêneros não têm os mesmos "direitos", nem os mesmos destinos em termos sexuais.

No curso normal dos acontecimentos, o menino desiste da mãe por medo de ser castrado pelo pai (de que o pai se recuse a lhe dar o falo, o que faria do filho uma menina). No entanto, com esse ato de renúncia, o menino confirma as relações que deram sua mãe a seu pai e que lhe darão, se ele se tornar um homem, sua própria mulher. Em troca da confirmação, pelo filho, dos direitos do pai sobre sua mãe, o pai confirma a existência do falo em seu filho (não o castra). O menino troca sua mãe pelo falo, o objeto simbólico que posteriormente poderá ser trocado por uma mulher. A única coisa que se pede a ele é um pouco de paciência. Ele man-

---

lação entre parentes do sexo masculino é definida pela mulher que se encontra entre eles. Se o poder é uma prerrogativa masculina, e deve ser transmitido, ele deve passar pela mulher que se encontra entre os homens. Marshall Sahlins (em comunicação pessoal) sugeriu certa vez que a razão pela qual as mulheres são tantas vezes descritas como estúpidas, impuras, desordeiras, bobas, profanas, e assim por diante, é que essas categorias definem as mulheres como "incapazes" de possuir o poder que deve ser transferido através delas.

tém sua orientação libidinal inicial e o sexo de seu objeto de amor original. O contrato social com o qual concordou, por fim, virá a reconhecer seus direitos e lhe proporcionar sua própria mulher.

O que acontece com a menina é mais complicado. Como o menino, ela descobre o tabu do incesto e a divisão dos sexos. Descobre também certas informações desagradáveis sobre o gênero que lhe atribuem. Para o menino, o tabu do incesto é um tabu em relação a certas mulheres. Para a menina, é um tabu em relação a todas as mulheres. Visto que ela está numa posição homossexual em relação à mãe, a regra da heterossexualidade torna a sua posição dolorosamente inadmissível. A mãe e, por extensão, todas as mulheres, só podem ser amadas adequadamente por alguém "que tenha um pênis" (falo). Como a menina não tem "falo", ela não tem "direito" de amar sua mãe ou outra mulher, já que ela própria é destinada a um homem. Ela não tem o objeto simbólico que pode ser trocado por uma mulher.

Se a formulação oferecida por Freud ao tratar desse momento da crise edípica feminina é ambígua, a descrição de Lampl-de Groot explicita o contexto que confere um significado aos genitais:

> Se a menina conclui que aquele órgão é realmente indispensável para que se possua a mãe, ela vivencia, além do sofrimento narcísico comum a ambos os sexos, um outro: *um sentimento de inferioridade em relação aos seus órgãos genitais.* (Lampl-De Groot 1933: 497, grifo meu)

A menina conclui que o "pênis" é indispensável para a posse da mãe porque apenas aqueles que possuem o "falo" têm o direito a uma mulher e detêm o objeto simbólico da troca. Não é por conta de uma superioridade natural do pênis em si, nem como um instrumento para fazer amor, que ela chega a essa conclusão. A disposição hierárquica dos órgãos genitais masculinos e femininos vem de definições da situação – a regra da heterossexualidade obrigatória e a relegação das mulheres (aquelas que não têm o falo, castradas) aos homens (aqueles que têm o falo).

A menina, então, começa a se afastar da mãe e a se voltar ao pai.

Para a menina, [a castração] é um fato consumado, irrevogável, mas que, quando reconhecido, compele-a a finalmente renunciar ao seu primeiro objeto de amor e a provar a amargura de sua perda até a última gota [...] o pai é escolhido como um objeto de amor, o inimigo se torna o amado. (Lampl-De Groot 1948: 213)

Esse reconhecimento da "castração" força a menina a redefinir sua relação consigo mesma, com sua mãe e com seu pai.

Ela se afasta da mãe porque não tem o falo para lhe dar. Ela se afasta também por raiva e decepção, porque a mãe não lhe deu um "pênis" (falo). Mas a mãe, sendo uma mulher em uma cultura fálica, não tem o falo para oferecer (tendo ela própria passado pela crise edípica em uma geração anterior). A menina, então, volta-se para o pai, pois apenas ele pode "lhe dar o falo", e é apenas por meio dele que ela pode entrar no sistema de trocas simbólico em que circula o falo. O pai, porém, não lhe dá o falo da mesma maneira que o dá ao menino. O falo é confirmado no menino, que, assim, pode oferecê-lo. A menina nunca recebe o falo. Ele passa por ela, e com essa passagem, ela se transforma numa criança. Quando "reconhece a sua castração", ela se conforma ao lugar de mulher em uma rede de trocas fálica. Ela pode "receber" o falo – em uma relação sexual, ou na forma de um bebê – mas apenas como um presente ofertado por um homem. Ela nunca chega a ter o falo de modo a oferecê-lo.

Quando se volta para o pai, ela também reprime os elementos "ativos" de sua libido:

> O afastamento em relação à mãe é um passo altamente significativo no desenvolvimento da garota, é mais que uma simples mudança de objeto. [...] paralelamente a ele se observa uma forte diminuição dos impulsos sexuais ativos e um aumento daqueles passivos. [...] A transição para o objeto paterno é coroada com a ajuda de tendências passivas, uma vez livres da catástrofe. O caminho para o desenvolvimento da feminilidade fica aberto para a menina [...]. (Freud [1931] 2010: 391)

A intensificação da passividade na menina se deve ao reconhecimento da impossibilidade de realizar seu desejo ativo, e da desigualdade nas condições da luta. Para Freud, o desejo ativo está localizado no clitóris; o desejo passivo, na vagina. Ele descreve, por conseguinte, a repressão do desejo ativo como a repressão do erotismo clitoriano em favor de um erotismo vaginal passivo. Nesse esquema, o mapeamento dos estereótipos culturais é situado nos órgãos genitais. Desde o trabalho de Masters e Johnson, é evidente que essa divisão genital é falsa. Qualquer órgão – pênis, clitóris, vagina – pode ser lócus de um erotismo ativo ou passivo. O que é importante no esquema de Freud, porém, não é a geografia do desejo, mas sua autoafirmação. Não é um órgão que é reprimido, mas um segmento de possibilidade erótica. "Temos a impressão", observa Freud, "de que a maior coação é aplicada à libido quando ela é pressionada para o serviço da função feminina [...]" (Freud [1933] 2010: 289). A menina é espoliada.

Se a fase edípica acontece normalmente e a menina "aceita sua castração", sua estrutura libidinal e a escolha de seu objeto passam a ser congruentes com o seu papel de gênero feminino. Ela se torna uma mulherzinha – feminina, passiva, heterossexual. Na verdade, Freud sugere que há três caminhos alternativos para a catástrofe edípica. A menina pode simplesmente entrar em desespero, reprimir completamente a sexualidade, e se tornar assexuada. Pode protestar, agarrar-se a seu narcisismo e desejo, e se tornar "masculina" ou homossexual. Ou pode aceitar a situação, assinar o contrato social, e alcançar a "normalidade".

Karen Horney critica amplamente o esquema de Freud/Lampl-de Groot. No decorrer de sua crítica, porém, ela articula as implicações em questão:

> Quando a menina se volta pela primeira vez para um homem [o pai], ela o faz, em geral, pela via estreita do ressentimento. Nós veríamos nisso uma contradição se a relação de uma mulher com um homem não retivesse, ao longo da vida, alguns traços dessa substituição forçada do verdadeiro objeto do desejo [...]. O mesmo caráter de algo alheio ao instinto, secundário e independente, mesmo em mulheres normais, estaria ligado ao desejo de ser mãe [...]. O ponto principal da concepção de Freud é que ele considera o desejo de ser mãe não como uma formação inata, mas como algo que pode ser psicologicamente reduzido aos seus elementos ontogenéticos, e que tira sua energia original de elementos instintivos homossexuais ou fálicos [...]. Daí se seguiria, por fim, que toda a reação das mulheres diante da vida seria baseada em um forte ressentimento subterrâneo". (Horney 1973: 148-49)

Horney considera essas implicações tão inverossímeis que chegariam ao ponto de colocar em xeque a validade do conjunto do esquema de Freud. Mas parece bastante plausível afirmar que a criação da "feminilidade" nas mulheres no decorrer da socialização é um ato de brutalidade psíquica, e que ela deixa nas mulheres um imenso ressentimento contra a supressão a que foram submetidas. Também pode-se argumentar que as mulheres têm poucos meios para tomar consciência desse ressentimento e expressá-lo. Os ensaios de Freud sobre a feminilidade podem ser lidos como descrições de como um grupo é preparado psicologicamente, desde a infância, para viver com a própria opressão.

Há outro componente nas discussões clássicas sobre como alguém adquire a condição de mulher. No início, a menina se volta para o pai porque tem de fazê-lo, porque é "castrada" (é mulher, impotente etc.) Em seguida, ela descobre que a "castração" é um pré-requisito para ter o amor do pai, que ela deve ser uma mulher para que ele a ame. Assim, ela passa a desejar a "castração", e o que anteriormente tinha sido experimentado como desastre se torna algo que ela deseja.

> A prática analítica não deixa dúvida quanto ao fato de que a primeira relação libidinal que a menina tem com seu pai é masoquista, e de que o desejo masoquista, em sua fase especificamente feminina mais inicial, pode ser enunciado da seguinte forma: "Eu quero ser castrada pelo meu 'pai'". (Deutsch 1948a: 228)

Deutsch afirma que esse masoquismo pode entrar em conflito com o ego, levando algumas mulheres a fugir de toda essa situação para defender a sua autoestima. Essas mulheres para as quais a escolha se dá "entre encontrar o contentamento no sofrimento ou a paz na renúncia" terão dificuldade de alcançar uma atitude saudável no que diz respeito às relações sexuais e à maternidade (Id. ibid.: 231). A discussão de Deutsch não deixa claro por que ela considera essas mulheres como casos especiais, e não como a norma.

Para a teoria psicanalítica da feminilidade, o desenvolvimento feminino é amplamente baseado na dor e na humilhação, e é necessário um esforço considerável para explicar o motivo pelo qual alguém ficaria feliz por ser mulher. É nesse ponto das discussões clássicas que a biologia faz um retorno triunfal. O esforço em questão consiste em argumentar que encontrar prazer na dor é algo que se molda ao papel das mulheres na reprodução, visto que a defloração e o parto são "dolorosos". Não faria mais sentido questionar todo esse procedimento? Se às mulheres, quando ocupam um lugar em um sistema sexual, é negada a libido e imposto um erotismo masoquista, por que os analistas não defendem novas disposições, em vez de racionalizar as antigas?

A teoria de Freud sobre a feminilidade tem sido submetida a críticas feministas desde sua primeira publicação. Na medida em que a teoria é uma racionalização da subordinação das mulheres, essas críticas têm se justificado. Na medida em que ela é uma descrição de um processo que subordina as mulheres, essas críticas são equivocadas. Como descrição de como a cultura fálica domestica as mulheres, e dos efeitos, nas mulheres, dessa domesticação, a teoria psicanalítica é incomparável (ver também Mitchell 1971, 1974; Lasch 1974). E, como a psicanálise é uma teoria do gênero, descartá-la, para um movimento político dedicado à erradicação da hierarquia de gênero (ou do próprio gênero), seria insensato. Não podemos eliminar algo que subestimamos ou que não compreendemos. A opressão das mulheres é profunda; nem a fórmula "trabalho igual, salário igual", nem todas as mulheres ativas na política mundialmente, têm como extirpar as raízes do sexismo. Lévi-Strauss e Freud elucidam aspectos das estruturas profundas da opressão sexual que, se não fosse por eles, mal seriam percebidos. Suas contribuições nos fazem lembrar da intratabilidade e da magnitude daquilo contra o que lutamos, e suas análises oferecem quadros preliminares dos mecanismos sociais que devemos reorganizar.

As mulheres se unem para extirpar o resíduo edípico da cultura

A maneira precisa como Freud e Lévi-Strauss convergem é impressionante. Os sistemas de parentesco pressupõem uma divisão dos sexos. A fase edípica divide os sexos. Entre os sistemas de parentesco, há conjuntos de regras que gerem a sexualidade. A crise edípica consiste na assimilação dessas regras e tabus. A heterossexualidade compulsória é produto do parentesco. A fase edípica institui o desejo heterossexual. O parentesco se assenta em uma diferença radical entre os direitos dos homens e os direitos das mulheres. O complexo de Édipo atribui direitos masculinos ao menino e obriga a menina a viver com direitos mais limitados.

A partir da convergência entre Lévi-Strauss e Freud, podemos inferir que nosso sistema de sexo/gênero ainda se organiza pelos princípios apresentados por Lévi-Strauss, embora seus dados tenham um caráter absolutamente não moderno. Freud baseia suas teorias em dados mais recentes, o que atesta a persistência dessas estruturas sexuais. Se a minha leitura de Freud e Lévi-Strauss estiver correta, ela sugere que o movimento feminista deve tentar resolver a crise edípica da cultura reorganizando o domínio do sexo e do gênero de modo que cada experiência edípica individual seja menos destrutiva. É difícil imaginar as dimensões de uma tarefa assim, mas certas condições, pelo menos, deveriam ser cumpridas.

Muitos dos elementos da crise edípica teriam de ser modificados para que essa fase deixasse de ter efeitos tão desastrosos sobre o ego das jovens mulheres. A fase edípica instaura uma contradição na menina, impondo-lhe exigências irreconciliáveis. Por um lado, o amor da menina pela mãe é motivado pelos cuidados que esta lhe dedica. Em seguida, a menina é forçada a deixar esse amor de lado por conta do papel sexual feminino – pertencer a um homem. Se a divisão sexual do trabalho levasse mulheres e homens a se envolver igualmente no cuidado com as crianças, a escolha primeira do objeto sexual seria bissexual. Se a heterossexualidade não fosse obrigatória, esse primeiro amor não teria que ser suprimido, e o pênis não seria superestimado. Se o sistema de propriedade sexual fosse reorganizado de tal modo que os homens não tivessem direitos hegemônicos sobre as mulheres (se não houvesse a troca de mulheres) e se não existisse gênero, todo o drama edípico não passaria de uma lembrança. Em suma, o feminismo deveria se empenhar na defesa de uma revolução no sistema de parentesco. A organização do sexo e do gênero teve outrora funções que se estendiam para além dela mesma – ela organizava a sociedade. Agora, ela só organiza e reproduz a si própria. As formas de relações sexuais estabelecidas em um obscuro passado humano ainda exercem um papel dominante na nossa vida sexual, nas nossas ideias sobre os homens e as mulheres, e no modo como criamos nossos filhos. Mas elas não têm mais o peso funcional de antes. Uma das características mais notáveis do parentesco é ter sido sistematicamente esvaziado de suas funções – políticas, econômicas, educacionais e organizacionais. Ele foi reduzido a seu esqueleto mais básico – o *sexo* e o *gênero*. A vida sexual humana sempre estará sujeita à convenção e à intervenção humana. Ela nunca será completamente "natural", mesmo porque nossa espécie tem um caráter social, cultural e articulado. A profusão indômita da sexualidade infantil sempre será domesticada. O confronto entre crianças imaturas e indefesas e a vida social desenvolvida dos mais velhos provavelmente sempre deixará algum traço de perturbação. Mas não é necessário que os mecanismos e os objetivos desse processo estejam desvinculados de uma escolha consciente. A evolução cultural nos dá a oportunidade de assumir o controle dos meios da sexualidade, da reprodução e da socialização, e de tomar decisões conscientes para libertar a vida sexual humana das relações arcaicas que a distorcem. Em última análise, uma revolução feminista realmente profunda libertaria não apenas as mulheres. Ela libertaria as formas de expressão sexual, e libertaria a personalidade humana da camisa de força do gênero.

"Papai, papai, seu desgraçado, estou de saco cheio" Sylvia Plath, "Daddy"

Tentei aqui desenvolver uma teoria da opressão das mulheres recorrendo a conceitos da antropologia e da psicanálise. Lévi-Strauss e Freud, porém, escrevem dentro de tradições intelectuais produzidas por uma cultura na qual as mulheres são oprimidas. Arrisquei-me, portanto, a trazer a reboque o sexismo presente nessas tradições a cada vez que tomei de empréstimo conceitos provenientes delas. "Não podemos enunciar nenhuma proposição destrutiva que não se tenha já visto obrigada a escorregar para forma, para lógica e para as postulações implícitas daquilo mesmo que gostaria de contestar" (Derrida [1967] 1995: 250). E o que resvala é espantoso. A psicanálise e a antropologia estrutural são, em certo sentido, as mais sofisticadas ideologias do sexismo que existem por aí.[13]

---

13. Algumas passagens de *Les Guérillères* [As guerrilheiras], de Monique Wittig (1973), parecem invectivas contra Lévi-Strauss e Lacan. Por exemplo: "Ele não escreve sobre o poder e a posse das mulheres, o lazer e a alegria das mulheres? Ele escreve que você é uma moeda de troca, um item de troca. Ele escreve sobre troca,

Para Lévi-Strauss, por exemplo, as mulheres são como palavras, que quando não são "comunicadas" e trocadas, estão sendo mal-empregadas. Na última página de um livro bastante longo, ele observa que isso cria uma certa contradição no que diz respeito a elas, já que as mulheres são ao mesmo tempo "falantes" e "faladas". Eis o seu único comentário sobre essa contradição:

> Mas a mulher não podia nunca tornar-se sinal e nada mais que isso, porque em um mundo de homens ela é de todo modo uma pessoa, e na medida em que é definida como sinal ficamos obrigados a reconhecer nela um produtor de sinais. No diálogo matrimonial dos homens, a mulher nunca é puramente aquilo de que se fala, porque se as mulheres, em geral, representam uma certa categoria de sinais, destinados a determinado tipo de comunicação, cada mulher conserva um valor particular proveniente de seu talento, antes e depois do casamento, de desempenhar sua parte em um dueto. Ao contrário da palavra, que se tornou integralmente sinal, a mulher permaneceu, portanto, sendo, ao mesmo tempo que sinal, valor. *Explica-se, assim, que as relações entre os sexos tenham preservado esta riqueza afetiva, este fervor e mistério que sem dúvida impregnaram na origem todo o universo das comunicações humanas.* (Lévi-Strauss [1947] 1984: 536-37; grifo meu)

Trata-se de uma afirmação extraordinária. Por que, àquela altura, Lévi-Strauss não denuncia o que os sistemas de parentesco fazem com as mulheres, em vez de apresentar uma das maiores espoliações de todos os tempos como raiz do romance? Uma insensibilidade parecida se revela na psicanálise, na incoerência com a qual esta assimila as implicações críticas de sua própria teoria. Por exemplo, Freud não hesitou em reconhecer que suas descobertas colocavam um desafio à moral convencional:

---

troca, posse e compra de mulheres e de mercadorias. Melhor ficar com as tripas ao sol, melhor morrer do que viver uma vida da qual qualquer um pode se apropriar. O que neste mundo pertence a você? Apenas a morte. Nenhum poder do mundo pode arrancá-la de você. E – reflita, explique, diga a si mesma – se a felicidade consiste na posse de algo, agarre-se a essa felicidade soberana – morrer" (Wittig 1973: 115-16; ver também 113-14 e 134). A consciência das feministas francesas com relação a Lévi-Strauss e Lacan fica mais claramente evidente em um grupo chamado Psychoanalyse et Politique, que descreve sua tarefa como um uso e uma crítica feministas da psicanálise lacaniana.

não podemos deixar de observar com olhos críticos, e achamos impossível tomar o partido da moral sexual convencional ou ter em alta conta o modo como a sociedade busca ordenar os problemas da vida sexual. *Podemos mostrar à sociedade que o que ela chama de moralidade não vale o sacrifício que custa,* e que seus procedimentos não se baseiam na honestidade nem demonstram inteligência. (Freud [1917] 2014: 574; grifo meu).

Ainda assim, quando a psicanálise demonstra, com a mesma facilidade, que os componentes comuns da personalidade feminina são o masoquismo, o ódio de si mesma e a passividade,[14] ela *não* empreende um julgamento semelhante. Em vez disso, ela usa um modelo de interpretação de dois pesos e duas medidas. O masoquismo é ruim para os homens, mas essencial para as mulheres. Algum narcisismo é necessário para os homens, mas impossível para as mulheres. A passividade é trágica no homem, enquanto que a falta de passividade é o que é trágico nas mulheres.

É esse modelo de dois pesos e duas medidas que permite que os médicos tentem adaptar as mulheres a um papel cujo caráter destrutivo é tão lucidamente detalhado em suas próprias teorias. É a mesma atitude incoerente que permite que os terapeutas considerem o lesbianismo um problema a ser curado, e não uma forma de resistência a uma situação ruim à qual as suas próprias teorias se referem.[15]

Há momentos das discussões analíticas da feminilidade em que se pode dizer "Isso é opressão de mulheres" ou "Podemos demonstrar com facilidade que os sacrifícios exigidos pelo que se chama de feminilidade vão além do que isso vale". E é precisamente aqui que as implicações da teoria são ignoradas e substituídas por for-

---

14. "Toda mulher adora um Fascista" – Sylvia Plath ("Daddy" [1962] 2004).

15. A terapeuta Charlotte Wolff (1971) levou a teoria psicanalítica da condição feminina ao seu extremo lógico e propôs que o lesbianismo é uma reação saudável à socialização das mulheres.As mulheres que não se revoltam contra a condição de objeto se confessam derrotadas como pessoas propriamente ditas" (Wolff [1971] 1973: 71). "A menina lésbica é aquela que, por todos os meios ao seu alcance, tentará encontrar um lugar de segurança junto e longe da família, em sua luta para se igualar ao homem. Ao contrário das outras mulheres, ela não procura adulá-lo: na realidade essa ideia lhe é repugnante" (Id. ibid.: 64). "A lésbica esteve e está indiscutivelmente na vanguarda da luta pela igualdade dos sexos e pela libertação psíquica das mulheres" (Id. ibid.: 72). É revelador comparar a discussão de Wolff com os artigos sobre lesbianismo de Marmor (1965).

O tráfico de mulheres **53**

mulações cujo objetivo é manter tais implicações firmemente alojadas no inconsciente teórico. É nesses momentos que uma avaliação crítica dos custos da feminilidade é substituída por todo tipo de substância química misteriosa, prazer na dor e mirada biológica. Essas substituições são sintomas de repressão teórica, uma vez que não são compatíveis com os princípios usuais do raciocínio psicanalítico. O grau de discrepância entre essas racionalizações da feminilidade e o âmago da lógica psicanalítica demonstra fortemente a necessidade de suprimir as implicações radicais e feministas da teoria da feminilidade (as discussões de Deutsch são excelentes exemplos desse processo de substituição e de repressão).

O argumento que deve ser tecido para integrar Lévi-Strauss e Freud à teoria feminista é um tanto tortuoso. De todo modo, me empenhei em desenvolvê-lo por vários motivos. Em primeiro lugar, embora nem Lévi-Strauss nem Freud questionem o sexismo incontestavelmente endêmico nos sistemas que eles descrevem, as questões que deveriam ser colocadas são absolutamente patentes. Em segundo lugar, porque seus escritos nos permitem distinguir o sexo e o gênero do "modo de produção", e ir contra uma certa tendência a explicar a opressão sexual como um reflexo de forças econômicas. Sua obra constitui um quadro de referência no qual é possível incorporar todo o peso da sexualidade e do casamento em uma análise da opressão sexual. Ela sugere uma concepção do movimento feminista como sendo análogo, e não exatamente isomórfico, ao movimento operário, cada um atacando uma fonte diferente de descontentamento humano. Na perspectiva de Marx, o movimento operário iria fazer mais do que livrar os trabalhadores de sua própria exploração. Ele também tinha potencial para mudar a sociedade, para libertar a humanidade, para criar uma sociedade sem classes. Talvez o movimento feminista tenha a tarefa de levar adiante o mesmo tipo de mudança social em um sistema do qual Marx tinha apenas uma percepção imperfeita. Algo próximo disso está implícito em Wittig – a ditadura das *guérillères* amazonas é um método temporário para se alcançar uma sociedade sem gêneros.

O sistema de sexo/gênero não é imutavelmente opressor e perdeu muito de sua função tradicional. No entanto, não havendo oposição, ele não irá desaparecer. Ele ainda é socialmente responsável pelo sexo e pelo gênero, pela socialização dos jovens, e por providenciar definições cabais a respeito da natureza dos próprios seres humanos. E ele serve a finalidades econômicas e políticas diferentes daquelas para as quais tinha sido concebido originalmente (ver Scott 1965). O sistema de sexo/gênero deve ser reorganizado por meio da ação política.

Em última análise, a exegese de Lévi-Strauss e Freud sugere uma certa visão da política feminista e da utopia feminista. Ela sugere que nosso objetivo não deveria ser buscar a eliminação dos homens, mas a eliminação do sistema social que cria o sexismo e o gênero. Pessoalmente, considero desagradável e inadequada a perspectiva de um matriarcado de amazonas no qual os homens são reduzidos à servidão ou ao esquecimento (dependendo das possibilidades de reprodução por partenogênese). Essa perspectiva mantém o gênero e a divisão dos sexos. Ela simplesmente inverte os argumentos daqueles que justificam a inevitabilidade do domínio masculino com base em diferenças biológicas inelutáveis e *significativas* entre os sexos. Mas nós não apenas sofremos opressão *como* mulheres, nós somos oprimidas por termos de *ser* mulheres – ou homens, conforme o caso. Pessoalmente, acho que o movimento feminista deve sonhar com algo maior do que a eliminação da opressão das mulheres. Ele deve sonhar em eliminar as sexualidades compulsórias e os papéis sexuais. O sonho que me parece mais cativante é o de uma sociedade andrógina e sem gênero (mas não sem sexo), na qual a anatomia sexual de uma pessoa seja irrelevante para quem ela é, para o que ela faz, e para com quem ela faz amor.

A economia política do sexo

Seria bom poder concluir aqui com as implicações que a convergência entre Freud e Lévi-Strauss tem para o feminismo e para o movimento gay. Devo, contudo, sugerir a possibilidade de um próximo passo em nosso programa: uma análise marxista dos sistemas de sexo/gênero. Os sistemas de sexo/gênero não são emanações a-históricas da mente humana; são produtos da ação humana historicamente situada.

Nós precisamos, por exemplo, de uma análise da evolução da troca sexual na mesma linha em que Marx discute, em *O capital*, a evolução do dinheiro e das mercadorias. Existem, nos sistemas de sexo/gênero, uma economia e uma política que são obscurecidas pelo conceito de "troca de mulheres". Existem, por exemplo, em um sistema no qual as mulheres podem ser trocadas apenas umas pelas outras, efeitos sobre as mulheres que diferem daqueles encontrados em um sistema no qual existe uma mercadoria considerada equivalente às mulheres.

> Que o casamento, nas sociedades simples, envolva uma troca é uma ideia bastante vaga que tem confundido a análise dos sistemas sociais. O caso extremo é o da troca de "irmãs", antigamente praticada em regiões da África e da Austrália. O termo aqui tem o significado preciso do dicionário, isto é, o de "ser recebido como equivalente de"; "dar e receber reciprocamente". De um ponto de vista bem diferente, a proibição praticamente universal do incesto significa que os sistemas de casamento necessariamente implicam "trocar" consanguíneos por esposas, motivando uma reciprocidade puramente formal. No entanto, em muitas sociedades, o casamento é mediado por uma série de transações intermediárias. Se vemos essas transações como simplesmente envolvendo uma reciprocidade imediata ou a longo prazo, nossa análise tende a se tornar confusa [...] A análise fica ainda mais limitada se percebermos a cessão de bens simplesmente como um símbolo da transferência de direitos, porque a natureza dos objetos negociados [...] é de pequena importância [...] Nenhuma dessas abordagens está errada; ambas são inadequadas. (Goody & Tambiah 1973: 2)

Há sistemas nos quais não existe nada equivalente a uma mulher. Para conseguir uma esposa, o homem precisa ter uma filha, uma irmã ou outras parentes de sexo feminino que ele tenha o direito de oferecer a alguém. Ele deve ter o controle de alguma carne feminina. Os Lele e os Kuma são casos ilustrativos. Os homens lele costumam conspirar para exigir direitos sobre uma menina antes mesmo de ela nascer, e, posteriormente, continuam maquinando para fazer valer a reivindicação sobre ela (Douglas 1963). O casamento de uma garota kuma é determinado por uma complexa rede de dívidas, e ela não tem praticamente voz ativa alguma na escolha de seu marido. Em geral, o casamento acontece contra a sua vontade, e seu noivo lança uma flecha na sua coxa para impedir, simbolicamente, que ela fuja. As jovens esposas quase sempre fogem, mas logo são restituídas a seus maridos por uma conspiração colocada em prática por seus parentes e afins (Reay 1959).

Há, em outras sociedades, itens considerados equivalentes a uma mulher. Uma mulher pode ser convertida em dote pago à família da noiva, e o dote pago à família da noiva pode ser convertido em uma mulher. A dinâmica de tais sistemas varia em conformidade com isso, assim como o tipo particular de pressão que se exerce sobre as mulheres. O casamento de uma mulher melpa não corresponde a pagar uma dívida anterior. Cada transação é fechada em si mesma, visto que é possível sanar a dívida com o pagamento de um dote em porcos e conchas. Por conseguinte, a mulher melpa tem uma margem maior para escolher um marido que a mulher kuma. Por outro lado, seu destino se vincula ao dote. Se os parentes do marido levarem muito tempo para efetuar o pagamento, os parentes da mulher podem estimulá-la a deixá-lo; no entanto, se os parentes consanguíneos da esposa ficarem satisfeitos com a balança das transações, podem se recusar a apoiá-la, caso ela deseje deixar o marido. Além disso, seus parentes homens usam o dote em benefício próprio, para trocar por *moka* e em seus próprios casamentos. Se uma mulher deixa o marido, uma parte ou a totalidade do dote deve ser devolvido. Se, como habitualmente é o caso, os porcos e as conchas já tiverem sido distribuídos ou prometidos, os parentes dela relutarão em apoiá-la em caso de discórdia conjugal. E a cada vez que uma mulher se separa e se casa novamente, o seu valor em dote tende a diminuir. No geral, os consanguíneos homens da noiva terão perdas no caso de divórcio, a menos que o noivo não tenha feito os seus pagamentos devidamente. Ainda que uma mulher melpa possa ter mais liberdade como recém-casada do que uma mulher kuma, o sistema de dotes no qual se encontra torna o divórcio difícil ou impossível (Strathern 1972).

Em algumas sociedades, como a dos Nuer, os dotes podem ser convertidos apenas em noivas. Em outras, o dote pode ser convertido em outra coisa, como prestígio político. Neste caso, o casamento de uma mulher está implicado em um sistema político. Nos sistemas do tipo *Big Men* das terras altas da Nova Guiné, aquilo que circula na forma de dote circula também nas trocas nas quais o poder político se baseia. Dentro do sistema político, os homens precisam constantemente de valores para desembolsar, e dependem daquilo que recebem. Eles dependem não apenas de seus parceiros imediatos, mas dos parceiros de seus parceiros, em variados graus de distância. Se um homem tem que devolver um valor do dote, ele não pode dá-lo a alguém que planejasse entregá-lo a uma outra pessoa com a intenção de usá-lo para dar uma festa ligada ao status político dessa terceira pessoa. Os *Big Men*, portanto, são atingidos por questões domésticas de pessoas com as quais eles têm relações que podem ser bastante indiretas. Existem casos em que os líderes intervêm em conflitos conjugais envolvendo parceiros indiretos de negócios, de modo que o sistema de troca *moka* não seja perturbado (Bulmer 1960: 11). O peso de todo esse sistema pode incidir sobre uma única mulher presa em um casamento infeliz.

Em suma, para além de procurar saber se há ou não troca de mulheres em um sistema, outras perguntas se colocam. Uma mulher é apenas trocada por outra mulher ou existe algo equivalente a ela? Se sim, seria equivalente apenas a mulheres ou a outros valores? Se pode ser convertido em outros valores, isso inclui poder político ou riqueza? Por outro lado, recebe-se o dote apenas pela troca matrimonial, ou existe outra maneira? É possível acumular mulheres ao acumular riquezas? É possível acumular riquezas com a venda de mulheres? Um sistema de casamento faz parte de um sistema de estratificação?[16]

Essas questões indicam uma outra tarefa a ser realizada no sentido de desenvolver uma economia política do sexo. O parentesco e o casamento são sempre parte de sistemas sociais totais, e estão sempre ligados a arranjos econômicos e políticos.

> Lévi-Strauss [...] defende, com razão, que as implicações estruturais do casamento só podem ser compreendidas se vistas como um elemento em toda uma série abrangente de transações entre grupos de parentes. Até aqui, tudo bem. Em nenhum dos exemplos oferecidos em seu livro, porém, ele leva esse princípio suficientemente longe. Os atos recíprocos das obrigações de parentesco não são meros símbolos de aliança, são também transações econômicas, transações políticas, endossam direitos residenciais e de uso da terra. Não se pode fazer nenhuma descrição útil de "como funciona um sistema de parentesco" a menos que tomemos em consideração, simultaneamente,

---

16. Uma outra linha de pesquisa compararia os sistemas de dote pago à família da noiva [*bridewealth*] e de dote pago à família do noivo [*dowry*]. Várias dessas questões são abordadas por Goody & Tambiah 1973.

esses muitos aspectos ou implicações da organização do parentesco. (Leach [1961] 2001: 90)

Entre os Kachin, o relacionamento entre um inquilino e um proprietário é também uma relação entre um genro e um sogro. "O procedimento para a aquisição de direitos à terra de qualquer tipo implica quase sempre se casar com uma mulher da linhagem do proprietário" (Id. ibid.: 88). No sistema kachin, o dote pago à família da noiva vai das pessoas comuns para as mais abastadas, e as mulheres seguem na direção contrária.

> De uma perspectiva econômica, o casamento entre primos cruzados matrilineares tem como efeito, no fim das contas, a transferência de riquezas pelas famílias dos subordinados à família do chefe, em forma de dote. Do ponto de vista analítico, o pagamento também pode ser considerado como uma renda paga ao proprietário da terra pelo inquilino. A parte mais importante desse pagamento se dá na forma de bens de consumo – mais propriamente, gado. O chefe converte esses bens perecíveis em prestígio não perecível por meio de festas espetaculares. Assim, os consumidores dos bens são, no fim das contas, os seus produtores, isto é, as pessoas comuns que frequentam as festas. (Id. ibid.: 89)

Outro exemplo é a tradição, nas ilhas Trobriand, que consiste em um homem mandar como presente uma colheita de inhame – *urigubu* – para a casa de sua irmã. Para as pessoas comuns, isso quer dizer apenas que o inhame está em circulação. Mas o chefe é polígamo, e casa com uma mulher de cada subdistrito de seu domínio. Cada um desses subdistritos, portanto, manda *urigubu* para o chefe, proporcionando-lhe uma enorme reserva a partir da qual ele realiza festas, mantém a produção artesanal e financia expedições *kula*. Esse "fundo de poder" dá sustentação ao sistema político e está na base do poder de chefia (Malinowski 1921).

Em alguns sistemas, a posição em uma hierarquia política e a posição em um sistema de casamento estão intimamente ligadas. Nas ilhas de Tonga, antigamente, as mulheres se casavam com pessoas que ocupavam uma posição mais alta. Assim, as famílias de linhagem mais baixa mandavam as mulheres para as famílias de linhagem mais alta. As mulheres de linhagem mais alta se casavam dentro da "casa de Fiji", uma linhagem considerada exterior ao sistema político. O chefe do mais alto escalão tinha de ceder sua irmã a uma família de linhagem externa ao sistema hierárquico; do contrário, deixaria de ser o chefe máximo. Mesmo a linhagem do filho de sua irmã passaria a ser considerada superior à sua. Em tempos de rearranjos políticos, o rebaixamento de uma linhagem antes considerada de alto escalão era formalizado quando ela dava uma mulher a uma família hierarquicamente superada por ela no passado. O que acontecia no Havaí era o inverso. As mulheres eram cedidas a famílias de posição inferior; as famílias das linhagens dominantes cediam suas mulheres às de linhagens mais baixas. Um chefe supremo ou se casava com uma irmã ou obtinha uma mulher de uma terra distante. Quando uma família de uma linhagem de baixo escalão conseguia ascender hierarquicamente, formalizava essa posição cedendo uma mulher para a família antes dominante.

Há ainda alguns dados intrigantes que sugerem que os sistemas de casamento podem estar relacionados à evolução dos estratos sociais e talvez ao desenvolvimento dos primeiros Estados. A primeira etapa da consolidação política que resultou na formação de um Estado em Madagascar ocorreu quando, devido aos desígnios dos casamentos e das heranças, um chefe obteve direitos sobre vários distritos autônomos.[17] Em Samoa, dizem as lendas que o título de chefe supremo – o *Tafa'ifa* – teve origem nos casamentos entre famílias das quatro linhagens mais importantes. Minhas reflexões são especulativas demais e meus dados são incompletos demais para que eu possa dizer muito sobre esse assunto. Mas o ponto é que é necessário ir em busca de dados que possam demonstrar a interseção entre sistemas de casamento e processos políticos de grande escala, tais como os que levaram à formação de Estados. Os sistemas matrimoniais podem estar vinculados a muitas outras esferas: à acumulação de riquezas e à manutenção de acesso diferenciado aos recursos políticos e econômicos; ao estabelecimento de alianças; à consolidação de pessoas de alto escalão em um único estrato fechado de parentesco endogâmico.

Esses exemplos – tais como o dos Kachin e o das Ilhas Trobriand – mostram que, em última análise, os sistemas sexuais não podem

---

17. Henry Wright, comunicação pessoal.

ser compreendidos de forma isolada. Uma análise consistente das mulheres em uma sociedade específica, ou ao longo da história, deve levar *tudo* em consideração: a evolução das formas de mercadoria que as mulheres representam, os sistemas de posse da terra, a organização política, a tecnologia de subsistência etc. É igualmente importante dizer que as análises políticas e econômicas são incompletas se não se levarem em conta as mulheres, o casamento e a sexualidade. As questões que têm tradicionalmente inquietado a antropologia e as ciências sociais – tais como a evolução da estratificação social e a origem do Estado – devem ser reformuladas de modo a incluir as implicações do casamento entre primos cruzados matrilineares, o excedente gerado na forma de filhas, a conversão do trabalho das mulheres em riqueza para os homens, a conversão da vida das mulheres em alianças matrimoniais, a contribuição do casamento para o poder político e as transformações pelas quais todos esses diversos aspectos da sociedade passaram ao longo do tempo.

Foi a um esforço semelhante, em última análise, que Engels tentou se dedicar para tratar de forma coerente de tantos dos diversos aspectos da vida social. Ele buscou relacionar, em uma análise histórica sistemática, os homens e as mulheres, a cidade e o campo, o parentesco e o Estado, as formas de propriedade, os sistemas de ocupação da terra, a conversibilidade da riqueza, as formas de troca, as tecnologias de produção de alimentos, as for mas de comércio – apenas para citar alguns. Por fim, será preciso que alguém escreva uma nova versão de *A origem da família, da propriedade privada e do Estado* que reconheça a interdependência mútua da sexualidade, da economia e da política, sem subestimar a importância plena de cada uma delas na sociedade humana.

PENSANDO O SEXO
NOTAS PARA UMA TEORIA RADICAL DA POLÍTICA DA SEXUALIDADE

Originalmente apresentado em 1982, na conferência *Scholar and Feminist*, no Barnard College, em Nova York, e publicado pela primeira vez em Carole S. Vance (org.), *Pleasure and Danger: Exploring Female Sexuality*. Boston: Routledge & Kegan Paul, 1984. A autora faz diversas referências datadas em relação ao contexto da publicação do artigo em 1982. Em 2011, este texto foi incluído na coletânea *Deviations*, na qual a autora acrescentou notas. Sinalizamos essas notas assim: [N. A. 2011].

As guerras do sexo

Ao ser consultado, o dr. J. Guerin afirmou que, após ter experimentado todos os outros métodos sem sucesso, havia finalmente conseguido curar o vício do onanismo em jovens meninas ao queimar o clitóris com um ferro quente [...]. "Eu aplico a ponta quente três vezes em cada um dos grandes lábios, e outra no clitóris [...]. Depois desse primeiro procedimento, realizado de quarenta a cinquenta vezes por dia, o número de espasmos voluptuosos diminuiu parax três ou quatro [...]." Acreditamos, portanto, que, em casos semelhantes àqueles submetidos a sua consideração, não se deve hesitar em recorrer ao uso do ferro quente, o quanto antes, para combater o onanismo clitoridiano e vaginal em jovens meninas.

D. ZAMBACO, "Onanism and Nervous Disorders in Two Little Girls"

Chegou a hora de pensarmos sobre o sexo. Para alguns, a sexualidade pode parecer um tema sem importância, uma dispersão frívola de problemas mais graves, como pobreza, guerra, doença, racismo, fome e destruição nuclear. Mas é justamente em épocas como esta, quando vivemos com a possibilidade de enfrentar uma aniquilação inimaginável, que as pessoas tendem a sair perigosamente dos eixos no que diz respeito à sexualidade.

Os conflitos contemporâneos ligados a valores sexuais e condutas eróticas têm muito em comum com disputas religiosas de séculos anteriores. Eles adquirem imenso peso simbólico. As discussões relacionadas ao comportamento sexual muitas vezes se tornam um veículo para deslocar angústias sociais e descarregar as intensidades emocionais concomitantes a elas. Consequentemente, a sexualidade deveria ser tratada com especial cuidado em tempos de grande estresse social.

O domínio da sexualidade também tem uma política interna, desigualdades e modos de opressão próprios. Assim como acontece com outros aspectos do comportamento humano, as formas institucionais concretas da sexualidade em determinado tempo e lugar são produto da atividade humana. Elas são permeadas por conflitos de interesse e manobras políticas, tanto deliberadas quanto incidentais. Nesse sentido, o sexo é sempre político. Mas há também períodos históricos em que as discussões sobre a sexualidade são mais claramente controvertidas e mais abertamente politizadas. Nesses períodos, o domínio da vida erótica é com efeito renegociado.

Na Inglaterra e nos Estados Unidos, o fim do século XIX foi um desses períodos. Nessa época, movimentos sociais vigorosos tiveram como foco "vícios" de todos os tipos. Havia campanhas educacionais e políticas promovendo a castidade, combatendo a prostituição e desestimulando a masturbação, especialmente entre os jovens. Defensores da moral atacavam a literatura obscena, pinturas com nudez, salões de música, a prática do aborto, informações sobre controle de natalidade e casas de dança.[1] A consolidação da moralidade vitoriana e do aparato social, médico e legal que a sustentava foi resultado de um longo período de conflitos cujos resultados, desde então, têm sido amargamente contestados.

As consequências desses grandes paroxismos morais do século XIX persistem entre nós. Eles deixaram uma forte marca nas atitudes relacionadas ao sexo, na prática médica, na educação de crianças, nas angústias parentais, na conduta policial e na legislação sobre o sexo.

A ideia de que a masturbação seria uma prática nociva para a saúde é parte dessa herança. No século XIX, era comum pensar que o interesse "prematuro" no sexo, na excitação sexual e sobretudo no orgasmo prejudicaria a saúde e o desenvolvimento da criança. As posições dos teóricos diferiam quanto às consequên-

---

1. Ver Gordon & Dubois 1983; Marcus 1974; Ryan 1979; Walkowitz 1980, 1982; Weeks 1981.

cias reais da precocidade sexual. Alguns pensavam que ela levaria à loucura, enquanto outros simplesmente supunham que ela prejudicaria o crescimento. Para proteger os jovens de uma excitação prematura, os pais amarravam as crianças à noite para evitar que se tocassem; médicos amputavam o clitóris de meninas que se masturbavam.[2] Ainda que as mais horríveis dessas técnicas tenham sido abandonadas, as atitudes que as produziram permanecem. A ideia de que o sexo *per se* é prejudicial aos jovens está inculcada em estruturas sociais e legais cujo objetivo é mantê-los afastados do conhecimento e da experiência do sexo.[3]

Muito da legislação ainda vigente a respeito do sexo também data das cruzadas moralistas do século XIX. A primeira lei federal contra a obscenidade nos Estados Unidos foi aprovada em 1873. O Decreto Comstock – assim chamado por causa de Anthony Comstock, antigo ativista antipornografia e fundador da Sociedade de Supressão do Vício de Nova York – tornou crime federal a produção, a propaganda, a venda, a posse, o envio por correio e importação de livros ou fotografias considerados obscenos. A lei também proibiu drogas e aparatos contraceptivos ou abortivos, assim como informações sobre eles (Beserra, Franklin & Clevenger 1977: 113). Na esteira da legislação federal, grande parte dos estados também aprovou leis antiobscenidade próprias.

O Supremo Tribunal começou a restringir o Decreto Comstock nos âmbitos federal e estadual durante a década de 1950. Em 1975, a proibição de métodos anticoncepcionais e abortivos e da difusão de informações sobre eles foi declarada inconstitucional. No entanto, apesar das disposições sobre a obscenidade terem sido modificadas, sua constitucionalidade fundamental se manteve. Assim, continua sendo crime produzir, vender, enviar por correio ou importar materiais cujo propósito único seja estimular a excitação sexual. (Id. ibid.: 113-17)

Ainda que os dispositivos legais a respeito da sodomia datem de estratos mais antigos da lei, quando elementos do direito canônico

---

2. Ver Barker-Benfield 1976; Marcus 1974; Weeks 1981, sobretudo pp. 48-52; Zambaco 1981.

3. A literatura sobre a história das ideias e campanhas contra a masturbação se multiplicou desde que escrevi este ensaio. Ela inclui Laqueur 2003; Bennett & Rosario 1995; Stengers & Van Neck 2001; Mason 2008. [N. A. 2011]

foram incorporados aos códigos civis, a maior parte da legislação utilizada para determinar a prisão de homossexuais e prostitutas surgiu com as campanhas vitorianas contra a "escravidão branca".[4] Essas campanhas tiveram como resultado centenas de proibições contra o oferecimento de programas, por profissionais do sexo, para clientes em potencial; comportamentos libidinosos; vagar pelas ruas com propósitos imorais; abuso de menores e existência de bordéis.

Em sua discussão sobre o temor dos britânicos quanto à "escravidão branca", a historiadora Judith Walkowitz observa: "pesquisas recentes demonstram as enormes discrepâncias entre relatos jornalísticos horripilantes e a realidade da prostituição. São escassos os indícios de encarceramento de garotas britânicas em Londres e no exterior" (Walkowitz 1983: 425).[5] Entretanto, o furor público sobre esse problema ostensivo

> forçou a aprovação da emenda do Código Penal de 1885, um excerto particularmente detestável, pernicioso e abrangente da legislação. A Lei de 1885 elevou de treze para dezesseis anos a idade do consentimento para meninas, mas também deu à polícia uma jurisdição

---

4. Uma nota sobre definições: Ao longo deste ensaio, uso termos como "homossexual", "profissional do sexo" e "pervertido". Uso "homossexual" para me referir a mulheres e homens. Se eu quiser ser mais específica, uso termos como "lésbica" ou "homem gay". "Profissional do sexo" pretende ser uma expressão mais inclusiva do que "michê" ou "prostituta", e tem como objetivo fazer referência aos muitos empregos que existem na indústria do sexo. "Profissional do sexo" inclui dançarinas eróticas, *strippers*, modelos pornográficos, mulheres nuas que conversam com clientes pelo telefone e podem ser vistas mas não tocadas, profissionais de disque-sexo e vários outros funcionários de empreendimentos voltados para o sexo, como recepcionistas, zeladores e divulgadores. Obviamente, também inclui prostitutas, michês e "modelos masculinos". Uso o termo "pervertido" como abreviação para todas as orientações sexuais estigmatizadas. Ele também costumava se referir à homossexualidade masculina e feminina, mas, à medida que esta vai se tornando menos suscetível à depreciação, o termo passa a se referir cada vez mais aos outros "desvios". Termos como "pervertidos" e "desviantes" têm, em um uso geral, uma conotação de reprovação, aversão e antipatia. Uso esses termos de forma denotativa, e não pretendo que eles transmitam qualquer senso de reprovação da minha parte.

5. Ela apresenta uma discussão e resultados esclarecedores (Id. ibid.: 83-85) da série de matérias "The Maiden Tribute of Modern Babylon", publicadas no jornal *Pall Mall Gazette*, em 1985. Uma análise ainda mais ampla da "The Maiden Tribute" é oferecida em Walkowitz 1992. [N. A. 2011]

primária muito maior sobre mulheres e crianças pobres da classe trabalhadora [...] [A lei] continha uma cláusula criminalizando os atos indecentes consentidos entre homens adultos, formando assim a base da perseguição legal a homens homossexuais na Grã--Bretanha até 1967 [...] [A]s cláusulas do novo projeto de lei atingiam particularmente as mulheres da classe trabalhadora, e regulavam o comportamento sexual dos adultos, mais que o de jovens (Walkowitz 1983: 427-28)

Nos Estados Unidos, a Lei Mann, também conhecida como Lei do Tráfico de Escravas Brancas, foi aprovada em 1910. Subsequentemente, todos os estados da União aprovaram uma legislação anti-prostituição (Beserra, Franklin & Clevenger 1977: 106-07).[6]

Na década de 1950, nos Estados Unidos, houve mudanças significativas na organização da sexualidade. Em vez de focar na prostituição ou na masturbação, as angústias dessa década tiveram como tema central a imagem da "ameaça homossexual" e o espectro ambíguo do "delinquente sexual". No período que antecedeu e logo após a Segunda Guerra Mundial, o "delinquente sexual" se tornou objeto de medo e escrutínio público. Muitos estados e cidades, incluindo Massachusetts, New Hampshire, Nova Jersey, estado de Nova York, cidade de Nova York e Michigan deram início a inquéritos para reunir informações sobre essa ameaça à segurança pública.[7] O termo *delinquente sexual*, às vezes aplicado a estupradores, outras vezes a "molestadores de crianças", passou, a partir de determinado momento, a funcionar como um código para designar homossexuais. Em suas versões burocráticas, médicas e populares, o discurso do delinquente sexual demonstrou uma tendência a tornar pouco claras as distinções entre uma agressão sexual violenta e atos ilegais mas consensuais, como a sodomia. O sistema de justiça criminal incorporou esses conceitos quando uma epidemia de leis tratando de psicopatias sexuais se estendeu por todos os corpos legislativos estaduais (Freedman 1983).[8] Essas leis pro-

---

6. Langum 1994 traz uma análise extensa e excelente da Lei Mann.

7. Alguns exemplos podem ser verificados em Commonwealth of Massachusetts 1947; State of New Hampshire 1949; City of New York 1939; State of New York 1950; Hartwell 1950; State of Michigan 1951.

8. A versão publicada desta fala está disponível em Freedman 1987.

porcionaram às profissões psicológicas um maior poder policial sobre os homossexuais e outros "desviantes" sexuais.

Do fim da década de 1940 ao começo da década de 1960, comunidades eróticas cujas atividades não se enquadravam no sonho americano do pós-guerra sofreram forte perseguição. Os homossexuais foram, junto com os comunistas, objeto de uma caça às bruxas em todo o país. Com o objetivo de eliminar completamente homossexuais dos cargos governamentais, houve investigações no Congresso, ordens executivas e exposições sensacionalistas nos meios de comunicação. Milhares de pessoas perderam o trabalho (Bérubé 1981a, b; D'Emilio 1983; Katz 1976). O FBI estabeleceu formas sistemáticas de vigilância e perseguição de homossexuais que perduraram pelo menos até a década de 1970 (D'Emilio 1983; Bérubé comunicação pessoal).[9]

Muitos estados e grandes cidades realizaram suas próprias investigações, e a caça às bruxas do âmbito federal se viu refletida em uma série de medidas locais de repressão. Em Boise, Idaho, em 1955, um professor escolar se sentou para tomar o café da manhã e, lendo o jornal pela manhã, soube que o vice-presidente do Primeiro Banco Nacional de Idaho havia sido preso por acusação de crime de sodomia; o promotor local declarava sua intenção de eliminar por completo a homossexualidade daquela comunidade. O professor jamais terminaria aquele café da manhã. "Ele pulou da cadeira, pegou a mala, arrumou tudo o mais rápido que pôde, entrou no carro e foi direto para São Francisco [...] Os ovos, o café e as torradas, já frios, ficaram ali por dois dias, em cima da mesa, até que alguém da escola foi à casa do professor ver o que tinha acontecido" (Gerassi 1966: 14).[10]

Em São Francisco, a polícia e os meios de comunicação travaram uma guerra contra os homossexuais durante toda a década de 1950. A polícia realizou batidas em bares, patrulhas nos pontos de pegação e varreduras nas ruas, bradando aos quatro ventos que iria banir os gays da cidade (Bérubé comunicação pessoal; D'Emilio 1983). Houve repressão severa a homossexuais, bares e áreas fre-

---

9. Ver também Rubin 2011, cap. 4, "The Leather Menace: Comments on Politics and S/M".

10. Sou grata a Allan Bérubé por ter chamado a minha atenção para esse incidente.

quentados por eles em todo o país. Ainda que as cruzadas contra os homossexuais constituam os exemplos mais bem documentados de repressão sexual da década de 1950, as pesquisas posteriores viriam a revelar padrões crescentes e semelhantes de perseguição e ataque a materiais pornográficos, prostitutas e desviantes sexuais de todos os tipos. É preciso realizar mais pesquisas para identificar o real alcance tanto da perseguição policial quanto das reformas na legislação.[11]

O período atual tem trazido algumas semelhanças incômodas com as décadas de 1880 e 1950. A campanha de revogação do estatuto de direitos dos gays realizada em 1977 no condado de Dade, Flórida, deu início a uma nova onda de violência, perseguição estatal e iniciativas legais contra as minorias sexuais e a indústria comercial do sexo. Durante os últimos seis anos, os Estados Unidos e o Canadá têm vivido uma ampla repressão sexual, em um sentido político, não psicológico. Na primavera de 1977, poucas semanas antes da votação no condado de Dade, os meios de comunicação começaram de repente a mostrar notícias de batidas em

---

11. Os seguintes exemplos sugerem caminhos possíveis para novas pesquisas. Uma ação de repressão ocorrida na Universidade de Michigan é relatada em Tsang 1977a,b. Na Universidade de Michigan, o número de professores demitidos por suposta homossexualidade parece rivalizar com o de demitidos por supostas tendências comunistas. Seria interessante dispor de dados estatísticos de quantos professores perderam o trabalho nessa época devido a crimes sexuais e políticos. Nas reformas da legislação, muitos estados aprovaram leis proibindo a venda de bebidas alcoólicas a "notórios pervertidos sexuais" ou determinando o fechamento de bares que reunissem "pervertidos sexuais". Uma lei semelhante foi aprovada na Califórnia em 1955, e declarada inconstitucional pelo Supremo Tribunal do Estado em 1959 (Allan Bérubé comunicação pessoal). Seria muito interessante saber exatamente quais estados aprovaram leis como essas, as datas de sua promulgação, as discussões que as precederam e quantas delas ainda vigoram. Quanto à perseguição de outras comunidades eróticas, existem indícios de que John Willie e Irving Klaw, os primeiros produtores e distribuidores de artigos eróticos sadomasoquistas nos Estados Unidos, atuantes do fim da década de 1940 ao começo da década de 1960, eram frequentemente perseguidos pela polícia, e de que Klaw, ao menos, sofreu um inquérito parlamentar realizado pelo Comitê Kefauver. Sou grata a J. B. Rund pelas informações a respeito das carreiras de Willie e Klaw. Os materiais publicados sobre o assunto são raros, mas recomendo Willie 1974 e os prefácios de Rund 1977, 1978, 1979. Seria útil ter informações mais sistemáticas sobre as reformas legais e ações policiais que afetaram a dissidência erótica não gay.

Pensando o sexo **69**

áreas de pegação gay, detenções por prostituição e investigações de atividades de produção e distribuição de materiais pornográficos. Desde então, as ações policiais contra a comunidade gay aumentaram perceptivelmente. A imprensa gay documentou centenas de detenções, realizadas desde as bibliotecas de Boston até as praias de São Francisco, passando pelas ruas de Houston. Mesmo comunidades gays urbanas numerosas, organizadas e relativamente poderosas não conseguiram fazer frente a essas medidas. Bares e saunas gays têm sofrido batidas com uma frequência alarmante, e a audácia da polícia tem aumentado. Em um incidente particularmente dramático, a polícia de Toronto vasculhou cada uma das quatro saunas da cidade. Após invadir os compartimentos com pés de cabra, os oficiais detiveram, em pleno inverno, quase trezentos homens, que ficaram na rua com o corpo coberto apenas por toalhas. Nem mesmo a "liberada" São Francisco saiu imune. Houve batidas em inúmeros bares, incontáveis detenções em parques e, no outono de 1981, a polícia deteve mais de quatrocentas pessoas em ações realizadas na rua Polk, um dos centros da vida noturna gay. Entre os homens jovens, espancar gays virou uma atividade lúdica sintomática. Eles chegam aos bairros gays armados de tacos de baseball procurando confusão, sabendo que os adultos que os rodeiam aprovam tacitamente essas práticas ou fazem vista grossa.

A repressão policial não tem se limitado a homossexuais. Desde 1977, a aplicação da legislação existente contra a prostituição e a obscenidade vem se intensificando. Além disso, os estados e municípios aprovaram disposições novas e mais rigorosas contra o comércio do sexo. Foram aprovadas portarias restritivas, modificações nas leis de zoneamento, emendas nos códigos de licenciamento e segurança e aumento de sentenças. As exigências de provas criminais, por sua vez, foram atenuadas. Essa sutil codificação jurídica de formas mais rigorosas de controle sobre o comportamento sexual adulto tem em grande medida passado despercebida fora da imprensa gay.

Ao longo de mais de um século, nenhuma tática para incitar a histeria erótica tem se mostrado mais eficiente que o apelo à proteção das crianças. A atual onda de terror em relação às questões eróticas atingiu mais profundamente, mesmo que apenas em um sentido simbólico, as áreas associadas à sexualidade dos jovens.

O lema da campanha de revogação do decreto do condado de Dade foi "Salvemos nossos filhos" de um suposto recrutamento homossexual. Em fevereiro de 1977, pouco tempo antes da votação, uma repentina preocupação com a "pornografia infantil" invadiu os meios de comunicação do país. Em maio, o *Chicago Tribune* publicou uma série sensacionalista em quatro episódios, com manchetes em letras garrafais, que anunciava revelar uma rede nacional de aliciamento de jovens garotos para a prostituição e a pornografia.[12] Jornais de todo o país apresentavam histórias parecidas, sendo a maior parte delas digna do *National Enquirer*. Ao final de maio, um inquérito parlamentar já estava em curso. Poucas semanas depois, o governo federal havia promulgado uma lei contra a "pornografia infantil", e muitos estados a acompanharam com leis próprias. Essas leis reestabeleceram restrições que haviam sido abrandadas por importantes decisões do Supremo Tribunal. O Tribunal determinou, por exemplo, que nem a nudez nem a atividade sexual eram obscenas *per se*. Porém, a legislação relativa à pornografia infantil qualifica como obscena qualquer exposição de menores que apresente nudez ou envolva atividade sexual. Isso quer dizer que fotografias de crianças nuas em livros de antropologia e muitos dos filmes etnográficos apresentados nas salas de aula universitárias são tecnicamente ilegais em vários estados. Os professores estão sujeitos inclusive a uma acusação adicional se apresentarem essas imagens para alunos menores de dezoito anos. Ainda que o Supremo Tribunal tenha determinado

---

12. "Chicago Is Center of National Child Porno Ring: The Child Predators" [Chicago é centro de rede nacional de pornô infantil: os predadores de crianças], "Child Sex: Square in New Town Tells It All" [Sexo infantil: praça em novo município diz tudo], "U.S. Orders Hearings on Child Pornography: Rodino Calls Sex Racket an 'Outrage'" [Audiências sobre pornografia infantil são realizadas nos Estados Unidos: Rodino chama agitação sexual de "ultraje"], "Hunt Six Men, Twenty Boys in Crackdown" [Seis homens e vinte rapazes detidos em batida policial], *Chicago Tribune*, 16 de maio de 1977; "Dentist Seized in Child Sex Raid: Carey to Open Probe" [Dentista é detido por corrupção sexual de menores: Carey dará início a investigação], "How Ruses Lure Victims to Child Pornographers" [As artimanhas dos pornógrafos infantis para atrair vítimas], *Chicago Tribune*, 17 de maio de 1977; "Child Pornographers Thrive on Legal Confusion" [Máfia da pornografia infantil cresce em meio à confusão legal], "U.S. Raids Hit Porn Sellers" [Batidas nos EUA atingem os mais bem-sucedidos vendedores de pornografia], *Chicago Tribune*, 18 de maio de 1977.

que a posse de materiais obscenos para uso privado é um direito constitucional, algumas das leis sobre pornografia infantil proíbem até mesmo a posse privada de qualquer material sexual envolvendo menores.[13]

As leis produzidas pelo pânico diante da pornografia infantil foram mal concebidas e mal direcionadas. Elas representam alterações profundas na regulamentação do comportamento sexual e suprimem liberdades civis importantes. No entanto, quase ninguém se deu conta de sua rápida implementação pelo Congresso e pelas legislaturas estatais. Com a exceção da North American Man/Boy Love Association [Associação norte-americana do amor homem/rapaz] e do American Civil Liberties Union [Sindicato de Liberdades Civis Americanas], não houve manifestação alguma de queixas.[14]

Um novo projeto de lei sobre a pornografia infantil, ainda mais rigoroso, acaba de chegar ao Senado. A lei elimina a exigência, feita aos promotores, de provar alegações de que materiais com conteúdo de pornografia infantil estejam sendo distribuídos com fins comerciais. Quando esse projeto for convertido em lei, a simples posse de uma foto de um namorado ou amigo de dezessete anos nu pode levar a uma condenação a quinze anos de prisão, além de uma multa de cem mil dólares. O projeto foi aprovado no Congresso por quatrocentos votos a favor e um voto contra.[15]

As experiências da fotógrafa Jacqueline Livingston ilustram a atmosfera de pânico diante da pornografia infantil. Livingston, professora assistente de fotografia na Universidade de Cornell, foi demitida em 1978 após ter exposto fotografias de homens nus, entre as quais havia algumas de seu filho de sete anos se masturbando. As revistas *Ms. Magazine*, *Chrysalis* e *Art News* se recusa-

---

13. Desde que este ensaio foi escrito, as leis de pornografia infantil se expandiram exponencialmente. Não acompanhei de perto esses desenvolvimentos, mas me parece que a simples posse de pornografia infantil é hoje ilegal na maioria das jurisdições. Mesmo visualizar uma imagem on-line classificada como pornografia infantil é um ato legalmente perigoso. [N. A. 2011]

14. Para mais informações sobre o "pânico ao pornô infantil", ver Califia 1980a, 1980e; Mitzel 1980; Rubin 1981. Sobre as relações intergeracionais, ver também Moody 1980; O'Carell 1980; Tsang 1981; P. Wilson 1981.

15. "House Passes Tough Bill on Child Porn". *San Francisco Chronicle*, 15 nov. 1983, p. 14.

ram a publicar anúncios com os retratos de homens nus feitos por Livingston. Em determinado momento, a Kodak confiscou alguns de seus filmes, e, por vários meses, ela viveu sob a ameaça de ser processada com base nas leis de pornografia infantil. A Secretaria de Assistência Social do condado de Tompkins, em Nova York, investigou a capacidade de Livingston para exercer a maternidade adequadamente. Seus pôsteres foram adquiridos pelo Moma, pelo Metropolitan, dentre outros museus importantes. Mas ela pagou um preço alto com o assédio e a angústia que sofreu em decorrência de seus esforços para registrar em filme o corpo masculino em diferentes idades sem nenhum tipo de censura (Stambolian 1980).[16]

É fácil ver alguém como Livingston como vítima da guerra contra a pornografia infantil. Mas é mais difícil, para a maioria das pessoas, simpatizar com homens que gostam de meninos. Como os comunistas e os homossexuais da década de 1950, eles são tão estigmatizados que é difícil encontrar quem defenda suas liberdades civis, muito menos sua orientação erótica. Consequentemente, eles se tornaram uma presa fácil da polícia. A polícia local, o FBI e inspetores do serviço postal se uniram de modo a produzir um imenso aparato com o propósito único de eliminar da comunidade os homens que sentiam atração por rapazes menores de idade. Daqui a mais ou menos duas décadas, quando a poeira tiver baixado, ao menos em parte, será mais fácil demonstrar que esses homens foram vítimas de uma cruel e injustificada caça às bruxas. Não serão poucas as pessoas que vão se sentir envergonhadas por colaborar com essa perseguição, mas será tarde demais para poder fazer o que quer que seja por esses homens que terão passado a vida na cadeia.[17]

---

16. Desde que Livingston enfrentou tais dificuldades, várias outras fotógrafas mulheres e feministas fizeram frente às leis de pornografia infantil. Ver, por exemplo, Powell 2010.

17. O que eu disse aqui, na ocasião da escrita original deste ensaio, foi, para dizer o mínimo, excessivamente otimista. Além disso, o contexto em que esses comentários foram redigidos mudou radicalmente. Para reconstruí-lo e lidar com todas as complexidades da questão, seria necessário reescrever este ensaio ou fazer um novo. Uma vez que isso não pode ser realizado nesta ocasião, permitam-me esclarecer que eu estava basicamente me referindo a relações homossexuais masculinas consensuais entre homens adultos e adolescentes em um momento em que muitos dos parceiros adultos eram perseguidos por supostas objeções de seus parceiros mais jovens a eles. Em alguns casos, os par-

Se o tormento vivido pelos homens que gostam de meninos não chega a afetar um número tão grande de pessoas, o legado de longo prazo da revogação no condado de Dade afeta a praticamente todo o mundo. O sucesso da campanha antigay incendiou muitas das paixões ocultas da direita americana, deflagrando um amplo movimento cujo objetivo era estreitar as fronteiras do que significaria um comportamento sexual aceitável.

A relação que a ideologia de direita estabelece entre o sexo fora da família, o comunismo e a fraqueza política não é novidade. Durante o período McCarthy, Alfred Kinsey e seu Instituto de Pesquisa do Sexo foram atacados por debilitar a fibra moral dos norte-americanos, tornando-os, assim, mais vulneráveis à influência do comunismo. Em 1954, após a realização de inquéritos parlamentares e a divulgação de publicidades contrárias, Rockefeller deixou de oferecer apoio financeiro ao Instituto Kinsey (Gebhard 1976).

Por volta de 1969, a extrema direita descobriu o Sex Information and Education Council of the United States (SIECUS) [Conselho de Educação e Informação Sexual dos Estados Unidos]. Em livros e panfletos como *The Sex Education Racket: Pornography in the Schools* [Algazarra na educação sexual: pornografia nas escolas] e *SIECUS: Corrupter of Youth* [SIECUS: corruptor dos jovens], a direita atacou o SIECUS e a educação sexual, acusando-os de armar um complô comunista para destruir a família e enfraquecer o ânimo nacional (Courtney 1969; Drake 1969). Outro livro, *Pavlov's Children: They May Be Yours* [Os filhos de Pavlov: eles poderiam ser seus] (sem autor 1969), chegou a afirmar que a Unesco estaria agindo em conluio com o SIECUS com o propósito de minar os tabus religiosos, promover a aceitação de relações sexuais anormais, degradar os padrões morais absolutos e "destruir a coesão racial" ao expor pessoas brancas (especialmente mulheres brancas) aos padrões sexuais supostamente "inferiores" das pessoas negras.[18]

As ideologias neoconservadora e da Nova Direita atualizaram cada um desses temas, apostando intensamente na ligação entre comportamento sexual "imoral" e o suposto declínio do poder americano. Norman Podhoretz (1977) escreveu um ensaio culpan-

---

ceiros mais jovens claramente se sentiam abusados não pelos parceiros mais velhos, mas pelo processo legal que deveria protegê-los. [N. A. 2011]

18. Irvine 2002 traz uma história abrangente do ativismo contra a educação sexual.

do os homossexuais pela inabilidade dos Estados Unidos para se impor diante da Rússia. Assim, relacionou de modo claro "a luta antigay na arena doméstica com as tensões anticomunistas na política externa" (Wolfe & Sanders 1979).

A oposição de direita à educação sexual, à homossexualidade, à pornografia, ao aborto e ao sexo antes do casamento passou das margens ao centro da cena política depois de 1977, quando estrategistas de direita e fundamentalistas religiosos descobriram que esses assuntos tinham apelo popular. A reação às temáticas sexuais exerceu um papel fundamental no êxito obtido pela direita nas eleições de 1980 (Breslin 1981; Gordon & Hunter 1977-78; Gregory-Lewis 1977a, 1977b, 1977c; Kopkind 1977; Petchesky 1981). Organizações como a Moral Majority [Maioria moral] e a Citizens for Decency [Cidadãos pela decência] reuniram multidões de adeptos, recursos financeiros expressivos e tiveram um impacto surpreendente. A Emenda pela Igualdade de Direitos tinha sido derrotada, uma legislação estabelecendo novas restrições ao aborto havia sido aprovada, e o financiamento destinado a programas de educação sexual e planejamento familiar, como o Planned Parenthood, tinha sofrido reduções drásticas. Foram promulgados regulamentos e leis dificultando o acesso de meninas adolescentes a métodos contraceptivos e aborto. O retrocesso nas temáticas ligadas ao sexo resultou em ataques bem-sucedidos ao Programa de Estudos da Mulher na Universidade Estadual da Califórnia de Long Beach.

A iniciativa legislativa mais ambiciosa da direita foi a Lei de Proteção à Família (FPA), introduzida no Congresso em 1979. A FPA é um ataque expressivo ao feminismo, aos homossexuais, às famílias não tradicionais e à privacidade sexual dos adolescentes (Brown 1981). Ela ainda não foi e provavelmente não será aprovada, mas os membros conservadores do Congresso continuam trabalhando a favor de seu programa com uma estratégia mais fragmentada. Talvez o sinal mais patente desses tempos seja o Adolescent Family Life Program [Programa pela vida familiar dos adolescentes]. Também conhecido como Teen Chastity Program [Programa de castidade juvenil], ele recebeu cerca de 15 milhões de dólares do governo federal para estimular a abstinência sexual entre os jovens, desencorajando-os a utilizar métodos contraceptivos caso tivessem relações sexuais e a abortar em caso de gravi-

Pensando o sexo **75**

dez. Nos últimos anos, houve incontáveis disputas a respeito dos direitos dos homossexuais, da educação sexual, do direito ao aborto, das livrarias para adultos e dos currículos das escolas públicas. É improvável que os retrocessos no que diz respeito ao sexo se atenuem, ou mesmo que tenham chegado a seu momento de maior expressão. A menos que algo mude radicalmente, o mais provável é que essa tendência continue nos próximos anos.[19]

Em períodos como a década de 1880 na Inglaterra e os anos 1950 nos Estados Unidos, as relações de sexualidade foram recodificadas. As batalhas enfrentadas deixam resíduos que se expressam em leis, práticas sociais e ideologias, que, por sua vez, afetam o modo como se experimenta a sexualidade, muito tempo depois do desaparecimento dos conflitos mais imediatos. Todos os indícios mostram que a época atual é mais um divisor de águas no que diz respeito às políticas do sexo. O legado deixado pelos embates da década de 1980 terá impacto por muito tempo. É preciso, portanto, compreender o que está acontecendo e o que está em jogo para que se possa tomar decisões informadas sobre quais políticas se deve apoiar e a quais se deve fazer oposição.

É difícil tomar essas decisões sem um conjunto coerente e inteligente de reflexões radicais sobre o sexo. Infelizmente, ainda não há uma análise política progressista bem desenvolvida da sexualidade. Muito do que o movimento feminista tem trazido para a discussão acaba aumentando a confusão envolvendo o assunto. É preciso desenvolver urgentemente perspectivas radicais sobre a sexualidade.

Paradoxalmente, uma irrupção de estimulantes escritos acadêmicos e políticos sobre sexo se deu durante esses anos tão sombrios. Na década de 1950, o então incipiente movimento pelos direitos dos gays iniciava sua caminhada, desenvolvendo-se ao mesmo tempo que a polícia fazia batidas em bares e que leis contra os gays eram promulgadas. Nos últimos seis anos, novas comunidades eróticas, alianças políticas e análises têm se desenvolvido em meio à repressão. Neste ensaio, pretendo apresentar elementos de um quadro descritivo e conceitual que sirva para pensar o

---

19. Não vou me deter nesse ponto, mas noto que, desde que este ensaio foi publicado, grupos antiaborto, antigay e pró-abstinência expandiram suas esferas de influência nas políticas nacional, estadual e local. [N. A. 2011]

sexo e suas políticas. Espero contribuir com a tarefa premente de elaborar um conjunto de reflexões criterioso, humano e verdadeiramente libertador sobre a sexualidade.

Refletindo sobre o sexo

"Sabe, Tim", Phil falou de repente, "seu argumento não é razoável. Vamos supor que eu concorde com sua primeira observação, a de que a homossexualidade é justificável em certos casos e sob certas formas de controle. Mas aí entra o problema: até que ponto a justificativa se sustenta? Onde começa a degeneração? A sociedade tem que condenar para proteger. Ainda que o respeito que venhamos a conceder seja aos intelectuais homossexuais, a primeira barreira já terá caído. Logo cai a próxima, depois outra, até que os sádicos, os adeptos da flagelação e os malucos criminosos também reivindiquem seu lugar, e a sociedade deixará de existir. Pergunto novamente, então: onde fica essa fronteira? Onde começa a degeneração senão no início da liberdade individual no que diz respeito a esses assuntos?"

JAMES BARR, *Quatrefoil*, fragmento de um romance de 1950 em que dois homens gays tentam decidir se poderiam se envolver afetivamente.

Uma teoria radical do sexo deve identificar, descrever, explicar e denunciar a injustiça erótica e a opressão sexual. Essa teoria precisa de ferramentas conceituais refinadas com as quais se possa compreender o assunto e mantê-lo em pauta. Ela deve produzir descrições ricas da sexualidade tal como ela se apresenta na sociedade e na história, e requer uma linguagem crítica convincente que expresse a crueldade da perseguição sexual.

Uma série de aspectos persistentes do pensamento sobre o sexo tem inibido o desenvolvimento de uma teoria desse tipo. Esses pressupostos são tão profundamente arraigados na cultura ocidental que raramente são questionados. Eles tendem, portanto, a reaparecer em contextos políticos distintos, adquirindo novas expressões retóricas, mas reproduzindo os mesmos axiomas fundamentais.

Um desses axiomas é o essencialismo sexual – a ideia de que o sexo é uma força natural que precede a vida social e dá forma às instituições. O essencialismo sexual está profundamente arraigado no saber popular das sociedades ocidentais, que consideram o sexo algo eternamente imutável, associal e trans-histórico. Dominado por mais de um século pela medicina, pela psiquiatria e pela psicologia, o estudo acadêmico do sexo tem reproduzido o essencialismo. Cada um desses campos classifica o sexo como propriedade dos indivíduos, algo que residiria nos hormônios ou no psiquismo. O sexo pode ser construído como fisiológico ou psicológico, mas dentre essas categorias etnocientíficas, a sexualidade não tem história nem determinantes sociais significativos.

Nos últimos cinco anos, uma sofisticada linha de pensamento histórica e teórica tem desafiado o essencialismo sexual, tanto explícita quanto implicitamente. A história gay, em especial o trabalho de Jeffrey Weeks, liderou esse ataque ao mostrar que a homossexualidade como a conhecemos é um complexo institucional relativamente moderno.[20] Muitos historiadores chegaram a considerar as formas institucionais contemporâneas de heterossexualidade como um desenvolvimento ainda mais recente (Hansen 1979). Uma importante contribuição para esse novo conjunto de reflexões tem sido oferecida por Judith Walkowitz, cuja pesquisa vem mostrando como a prostituição se transformou na época da virada do século. Ela apresenta descrições meticulosas de como a interação de forças sociais como a ideologia, o medo, a agitação política, as reformas legais e a prática médica podem modificar a estrutura do comportamento sexual e alterar suas consequências (Walkowitz 1980, 1983).

A *história da sexualidade*, de Michel Foucault, foi o mais influente e emblemático texto do novo conjunto de reflexões sobre o sexo. Foucault critica a visão tradicional da sexualidade como impulso natural da libido para se liberar da coerção social. Ele argumenta que os desejos não são entidades biológicas preexistentes, mas, em vez disso, são constituídos no decorrer de práticas sociais específicas ao longo da história. Foucault enfatiza mais os aspectos de organização social do sexo que seus elementos repressivos, ressaltando que novas sexualidades são constantemente produzidas. E ele assinala uma grande descontinuidade entre os sistemas de sexualidade baseados no parentesco e outros mais modernos.

---

20. Quem elaborou inicialmente essa ideia foi McIntosh 1968; ela foi posteriormente desenvolvida por Weeks 1977, 1981; ver também D'Emilio 1983 e Rubin 1979.

Essa nova linha de conhecimento sobre o comportamento sexual deu ao sexo uma história e criou uma alternativa construtivista ao essencialismo. O pressuposto de que a sexualidade é social e historicamente constituída, e não biologicamente determinada,[21] subjaz no conjunto de trabalhos dessa escola. Isso não significa que as capacidades biológicas não sejam pré-requisito da sexualidade humana. Significa simplesmente que a sexualidade humana não pode ser compreendida em termos puramente biológicos. Os organismos humanos dotados de cérebros humanos são necessários para as culturas humanas, mas nenhum exame do corpo ou de suas partes é capaz de explicar a natureza e a variedade dos sistemas sociais humanos. A fome sentida no estômago não traz indícios da complexidade da culinária. O corpo, o cérebro, a genitália e a capacidade para a linguagem são necessários para a sexualidade humana, mas não determinam seus conteúdos, suas experiências, nem suas formas institucionais. Além disso, não há como pensar um corpo de forma separada dos significados que lhe são conferidos pela cultura. Parafraseando Lévi-Strauss, minha posição a respeito da relação entre biologia e sexualidade é um "kantismo sem libido transcendental" (Lévi-Strauss 1970).[22]

É impossível pensar com clareza as políticas de raça ou gênero enquanto elas forem consideradas entidades biológicas, e não construções sociais. Do mesmo modo, a sexualidade é impermeável à análise política se for concebida primariamente como um fenômeno biológico ou um aspecto da psicologia individual. A sexualidade é tão produto da atividade humana como o são as dietas, os meios de transporte, os sistemas de etiqueta, as formas de trabalho, as formas de entretenimento, os processos de produção e os modos de opressão. Políticas do sexo mais realistas serão possíveis quando ele for compreendido em relação a uma análise social e histórica. Será possível pensar as políticas do sexo em relação a fenômenos como populações, vizinhanças, padrões de assentamento territorial, migração, conflito urbano, epidemiologia e tecnologia policial. Essas categorias de pensamento são mais profí-

---

21. Uma discussão bastante útil dessas questões pode ser encontrada em Padgug 1979.

22. Nessa conversa, Lévi-Strauss caracteriza sua própria postura como um "kantismo sem sujeito transcendental".

cuas que as mais tradicionais, como pecado, doença, neurose, patologia, decadência, poluição ou ascensão e queda de impérios.

Ao detalhar as relações entre as populações eróticas estigmatizadas e as forças sociais que as regulam, trabalhos como os de Allan Bérubé, John D'Emilio, Jeffrey Weeks e Judith Walkowitz contêm categorias implícitas de análise e crítica política. Mesmo assim, a perspectiva construtivista tem mostrado algumas fraquezas políticas. Isso fica especialmente evidente em algumas interpretações errôneas da posição de Foucault.

Por causa da ênfase que deu às formas de produção da sexualidade, Foucault ficou vulnerável a interpretações que negam ou minimizam a realidade da repressão sexual em um sentido mais político. Foucault deixa bastante claro que não está negando a existência da repressão sexual, mas sim a inscrevendo dentro de uma dinâmica mais ampla.[23] A sexualidade nas sociedades ocidentais foi estruturada em um quadro social extremamente punitivo, e tem sido submetida a controles formais e informais bastante reais. É necessário reconhecer os fenômenos repressivos sem recorrer aos pressupostos essencialistas da linguagem da libido. É importante prestar atenção nas práticas sexuais repressivas, ainda que situadas dentro de uma totalidade diferente, e empregando uma terminologia mais refinada (Weeks 1981: 9).

Em grande medida, o pensamento radical a respeito do sexo se insere em um modelo cujos eixos são os instintos e as restrições impostas a eles. Conceitos de opressão sexual foram conformados a percepções mais biológicas da sexualidade. É muitas vezes mais fácil recair na ideia de uma libido natural sujeita a uma repressão não humana do que reformular os conceitos de injustiça sexual a partir de um quadro mais construtivista. Mas é absolutamente fundamental que o façamos. Precisamos de uma crítica radical dos arranjos sexuais que possua a elegância conceitual de Foucault e a paixão evocativa de Reich.

Essa nova linha de conhecimento sobre o sexo nos trouxe ainda uma ênfase bem-vinda na ideia de que os termos sexuais de-

---

23. "As dúvidas que gostaria de opor à hipótese repressiva têm por objetivo muito menos mostrar que essa hipótese é falsa do que recolocá-la numa economia geral dos discursos sobre o sexo no seio das sociedades modernas a partir do século XVII." (Foucault [1976] 1999: 16)

vem se ater aos contextos históricos e sociais que lhe são próprios, além de um ceticismo cauteloso com relação a generalizações de grande alcance. Mas é importante poder indicar agrupamentos de comportamento sexual e tendências gerais no discurso erótico. Além do essencialismo sexual, há pelo menos quatro outras formações ideológicas cuja compreensão no pensamento sexual é tão forte que deixar de discuti-las equivale a permanecer enredado por elas. Refiro-me à negatividade sexual, à falácia da escala mal posicionada, à valoração hierárquica dos atos sexuais, à teoria do dominó de risco sexual e à ausência de um conceito de variação sexual benigna.

Dessas cinco formações ideológicas, a mais importante é a negatividade sexual. As sociedades ocidentais geralmente consideram o sexo uma força perigosa, destrutiva e negativa (Weeks 1981: 22). Para grande parte da tradição cristã, seguindo Paulo, o sexo é inerentemente pecaminoso.[24] Ele pode ser redimido se praticado dentro do casamento, com fins de procriação, e se não se der atenção demasiada aos aspectos prazerosos. Essa maneira de pensar o sexo parte do pressuposto de que a genitália é uma parte intrinsecamente inferior do corpo, muito aquém e menos sagrada que a mente, a "alma", o "coração", ou mesmo que a parte superior do aparelho digestivo (o status dos órgãos excretores se assemelha ao da genitália).[25] Essas ideias ganharam vida própria e persistem para muito além da religião.

---

24. Meus comentários aqui são bastante elementares, e muitos dos excelentes estudos surgidos desde a publicação deste ensaio enfatizam as complexidades da história da sexualidade e do cristianismo. Boa parte do que frequentemente se supõe ser proveniente da Bíblia ou do início do cristianismo se desenvolveu posteriormente, e é atribuída retrospectivamente a fontes antigas, dentre as quais as bíblicas. Ver, por exemplo, Jordan 1997. [N. A. 2011]

25. Ver, por exemplo, "Pope Praises Couples for Self-Control" [Papa elogia casais por autocontrole], *San Francisco Chronicle*, 13 out. 1980, p. 5; "Pope Says Sexual Arousal Isn't a Sin If It's Ethical" [Papa diz que a excitação sexual não é pecado desde que seja ética], *San Francisco Chronicle*, 6 nov. 1980, p. 33; "Pope Condemns 'Carnal Lust' As Abuse of Human Freedom" [Papa condena a "luxúria carnal" como abuso das liberdades humanas], *San Francisco Chronicle*, 15 jan. 1981, p. 2; "Pope Again Hits Abortion, Birth Control" [Papa voltar a criticar o aborto e o controle de natalidade], *San Francisco Chronicle*, 16 jan. 1981, p. 13; e "Sexuality, Not Sex in Heaven" [Sexualidade, não o sexo no céu], *San Francisco Chronicle*, 3 dez. 1981, p. 50. Ver também a nota 20.

Trata-se de uma cultura que sempre aborda o sexo com desconfiança. Ela constrói e julga quase todas as práticas sexuais segundo sua pior expressão possível. O sexo é considerado culpado até que se prove sua inocência. Praticamente todos os comportamentos eróticos são considerados maus a menos que se estabeleça uma razão específica para isentá-los. As desculpas mais aceitáveis são o casamento, a reprodução e o amor. Em algumas ocasiões, a curiosidade científica, uma experiência estética ou uma relação íntima de longa data podem servir. Mas o exercício da capacidade, inteligência, curiosidade e criatividade erótica requer pretextos que são desnecessários para outros prazeres, como o prazer com a comida, a ficção ou a astronomia.

O que chamo de falácia da escala mal posicionada é uma formação ideológica decorrente da negatividade sexual. Susan Sontag disse certa vez que desde que o cristianismo passou a considerar o "comportamento sexual como a raiz da virtude, tudo aquilo que pertença ao sexo tem sido um 'caso especial' em nossa cultura" (Sontag [1969] 1987: 51). A legislação sobre o sexo incorporou a concepção religiosa de que o sexo herético é um pecado particularmente abominável, merecedor dos mais duros castigos. Durante grande parte da história europeia e norte-americana, um simples ato consensual de penetração anal foi motivo para execução. Em determinados estados, a sodomia ainda pode levar a sentenças de vinte anos de prisão.[26] Fora da esfera jurídica, o sexo também é uma categoria marcada. Pequenas diferenças de valor ou comportamento são frequentemente encaradas como uma ameaça cósmica. Ainda que as pessoas possam se mostrar intolerantes, bobas e intrometidas quanto ao que constitui uma alimentação adequada, diferenças de cardápio raramente provocam um grau de ódio, ansiedade e absoluto terror equiparável ao que costuma acompanhar as diferenças de gosto erótico. Os atos sexuais estão marcados por um excesso de significados.

---

26. Histórias muito mais detalhadas da regulamentação da sodomia foram publicadas desde 1984, refinando as cronologias e os padrões de aplicação das leis de sodomia na Europa. Entre elas, cito Ruggiero 1985, Gerard & Hekma 1989, e Puff 2003. As leis contra a sodomia foram declaradas inconstitucionais nos Estados Unidos em 2003, no caso *Lawrence contra o Estado do Texas*. [N. A. 2011]

As sociedades ocidentais modernas avaliam os atos sexuais segundo um sistema hierárquico de valor sexual. Os heterossexuais que se casam e procriam estão sozinhos no topo da pirâmide erótica. Logo abaixo encontram-se os casais heterossexuais monogâmicos não casados, seguidos pela maior parte dos outros heterossexuais. O sexo solitário flutua de forma ambígua. O poderoso estigma que pesava sobre a masturbação no século XIX permanece, ainda que de forma menos potente e modificada, como na ideia de que os prazeres solitários são uma espécie de substituto inferior aos encontros de casais. Os casais lésbicos e gays de longa data, estáveis, encontram-se no limite da respeitabilidade, mas sapatões caminhoneiras e homens gays promíscuos pairam sobre o limite dos grupos situados na parte mais inferior da pirâmide. Atualmente, as classes sexuais mais desprezadas incluem transexuais, travestis, fetichistas, sadomasoquistas, profissionais do sexo, como as prostitutas e os modelos pornográficos e, a mais baixa de todas, aquela cujo erotismo transgride as fronteiras geracionais.

Os indivíduos cujo comportamento figura no topo dessa hierarquia são recompensados com o reconhecimento de saúde mental, respeitabilidade, legalidade, mobilidade social e física, apoio institucional e benefícios materiais. À medida que se vai descendo na escala de comportamentos sexuais ou ocupações, os indivíduos que os praticam se veem sujeitos à presunção de doença mental, falta de idoneidade, tendência à criminalidade, restrição de mobilidade social e física, perda de apoio institucional, sanções econômicas e processos penais.

Um estigma extremo e punitivo mantém alguns comportamentos sexuais em um status bastante baixo, o que constitui efetivamente uma sanção contra aqueles que os praticam. As raízes da intensidade desse estigma podem ser encontradas nas tradições religiosas ocidentais. Muito de seu conteúdo contemporâneo, porém, deriva da extrema abjeção médica e psiquiátrica que ele suscita.

Os antigos tabus religiosos se baseavam primariamente em formas de parentesco da organização social. Eles tinham a função de dissuadir uniões inapropriadas e incentivar formas adequadas de parentesco. As leis sexuais provenientes dos pronunciamentos bíblicos se propunham a impedir a aquisição de tipos errados de parceiros afins: consanguinidade (incesto), mesmo gênero (homossexualidade) ou espécie errada (bestialidade). Quando a medicina e a psiquiatria adquiriram amplos poderes sobre a sexualidade, estavam menos preocupadas com parceiros inadequados do que com formas inapropriadas de desejo sexual. Se os tabus do incesto são o aspecto mais característico dos sistemas de parentesco da organização sexual, passar a enfatizar os tabus contra a masturbação se mostrou muito mais conveniente para os novos sistemas organizados em torno das qualidades da experiência erótica (Foucault [1976] 1999: 101-2).

A medicina e a psiquiatria multiplicaram as categorias de comportamentos sexuais inapropriados. A seção sobre transtornos psicossexuais do *Diagnostic and Statistical Manual of Mental and Physical Disorders* (DSM) [Manual de diagnóstico e estatística de transtornos mentais] da American Psychiatric Association (APA) é um mapa bastante confiável da atual hierarquia moral das atividades sexuais. A lista da APA é muito mais elaborada que as condenações tradicionais à prostituição, à sodomia ou ao adultério. Depois de uma longa luta política, a edição mais recente, DSM-III, retirou a homossexualidade do registro de transtornos mentais. No entanto, fetichismo, sadismo, masoquismo, transexualidade, travestismo, exibicionismo, voyeurismo e pedofilia permanecem firmemente classificadas como disfunções psicológicas (American Psychiatric Association 1980). Ainda são escritos livros sobre a gênese, a etiologia, o tratamento e a cura dessas diversas "patologias".

A condenação psiquiátrica de comportamentos sexuais recorre a conceitos de inferioridade mental e emocional, em vez de categorias de pecado sexual. As práticas sexuais de baixo status são vilipendiadas e tachadas como doenças mentais ou sintomas de uma integração defeituosa da personalidade. Além disso, os termos psicológicos empregados vinculam as dificuldades de funcionamento psicodinâmico a diversas formas de conduta erótica. Eles tornam o masoquismo sexual equivalente a padrões de personalidade autodestrutiva, o sadismo sexual à agressão emotiva e o homoerotismo à imaturidade. Essas confusões terminológicas se tornaram estereótipos poderosos, indiscriminadamente aplicados a indivíduos com base em sua orientação sexual.

A cultura popular é permeada pela ideia de que a variedade erótica é perigosa, doentia, depravada, e uma ameaça a tudo que existe, desde crianças pequenas até a segurança nacional. A ideologia sexual popular é um guisado nocivo que reúne ideias de pecado sexual, conceitos de inferioridade psicológica, anticomunismo, histeria coletiva, acusações de bruxaria e xenofobia. A grande mídia alimenta essas atitudes com uma propaganda incessante. Eu diria que esse sistema de estigmatização erótica é a última forma de preconceito socialmente respeitável, se não fosse pelas formas mais antigas mostrarem uma vitalidade tão obstinada e pelas mais novas continuarem a se manifestar tanto. Todas essas hierarquias de valores sexuais – religiosos, psiquiátricos e populares – funcionam de forma muito semelhante aos sistemas ideológicos do racismo, do etnocentrismo e do chauvinismo religioso. Elas racionalizam o bem-estar dos sexualmente privilegiados e as adversidades enfrentadas pela ralé sexual. A figura 1 é um diagrama de uma versão geral do sistema de valor sexual. De acordo com esse sistema, a sexualidade "boa", "normal" e "natural" seria idealmente heterossexual, conjugal, monogâmica, reprodutiva e não comercial. Ela se daria entre casais, dentro da mesma geração e em casa. Ela não envolveria pornografia, objetos de fetiche, brinquedos sexuais de nenhum tipo ou quaisquer outros papéis que não fossem o masculino e o feminino. Qualquer forma de sexo que viole essas regras é "má", "anormal" ou "não natural". O sexo mau pode ser homossexual, o que acontece fora do casamento, promíscuo, não procriador ou comercial. Pode ser a masturbação, as orgias, o casual, o que cruza fronteiras geracionais e que se pratica em lugares "públicos", ou ao menos em arbustos ou em banheiros. Pode envolver o uso de pornografia, objetos de fetiche, brinquedos sexuais ou papéis pouco usuais.

A figura 2 é um diagrama de outro aspecto da hierarquia sexual, a necessidade de se traçar e manter uma linha imaginária entre o sexo bom e o sexo mau. A maior parte dos discursos sobre o sexo, sejam eles religiosos, psiquiátricos, populares ou políticos, delimita uma porção bem pequena da capacidade sexual humana e a qualifica como potencialmente santa, segura, saudável, madura, legal ou politicamente correta. A "linha" separa esses comportamentos sexuais de todos os outros, entendidos então como obra do demônio, perigosos, psicopatológicos, infantis ou politicamente condenáveis. As discussões, assim, versam sobre "onde traçar uma linha divisória" e identificar que outras ativida-

Pensando o sexo **85**

Figura 1 – A hierarquia do sexo: o círculo mágico *versus* os limites externos

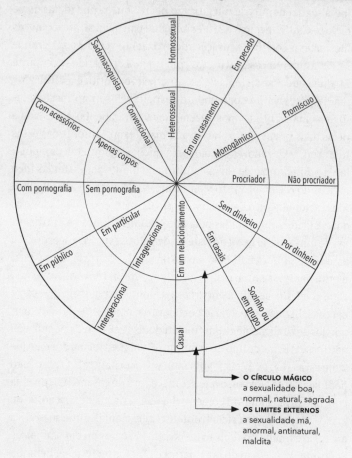

O CÍRCULO MÁGICO
a sexualidade boa, normal, natural, sagrada
OS LIMITES EXTERNOS
a sexualidade má, anormal, antinatural, maldita

Figura 2 – A hierarquia sexual: a disputa por onde traçar uma linha divisória

SEXO "BOM"	"LINHA"	Maior área de disputa		SEXO "MAU"
Normal, natural, saudável, sagrado				Anormal, antinatural, nocivo, pecaminoso, extravagante
Heterossexual		Casais heterossexuais não casados		Travestis
Dentro do casamento		Heterossexuais promíscuos		Transexuais
Monogâmico		Masturbação		Fetichistas
Procriador		Casais estáveis de gays e lésbicas		Sadomasoquistas
Em casa		Sapatões caminhoneiras		Por dinheiro
		Gays promíscuos em saunas [ou parques		Intergeracional
MELHOR				PIOR

des, sendo o caso, poderiam ser autorizadas a cruzar a fronteira da aceitabilidade.[27]

Todos esses modelos assumem uma teoria do dominó de risco sexual. A linha parece se situar entre a ordem e o caos sexuais. Ela expressa o medo de que a barreira contra uma forma terrível de sexo se desfaça caso algo cruze essa zona erótica desmilitarizada, permitindo que algo indizível passe para o outro lado.

A maioria dos sistemas de juízo sexual – religioso, psicológico, feminista ou socialista – pretende determinar a que lado da linha pertence cada ato sexual específico. Somente são reconhecidos como moralmente complexos os atos sexuais que ficam do lado bom da linha. Por exemplo, os encontros heterossexuais podem ser sublimes ou desagradáveis, livres ou forçados, restauradores ou destrutivos, românticos ou mercenários. Desde que não viole outras regras, a heterossexualidade é reconhecida por expressar o amplo espectro da experiência humana. Em contrapartida, todos os atos sexuais no lado "mau" da linha são considerados totalmente repulsivos e desprovidos de qualquer nuance emocional. Quanto mais afastado da linha estiver um ato sexual, mais ele se mostra uma experiência consistentemente má.

Como resultado dos conflitos sexuais da última década, alguns comportamentos localizados próximos à fronteira estão começando a avançar em direção à linha. Os casais em concubinato, a masturbação e algumas formas de homossexualidade estão se aproximando gradualmente do comportamento aceitável (ver figura 2). A homossexualidade, em grande medida, ainda permanece do lado mau da linha, mas, quando ela se dá entre um casal monogâmico, a sociedade está começando a reconhecer que é dotada do amplo espectro da interação humana. A homossexualidade

---

27. Ao longo deste ensaio, tratei o comportamento e os indivíduos transgêneros em relação ao sistema sexual, e não em relação ao sistema de gênero, embora travestis e transexuais claramente ultrapassem as fronteiras de gênero. Segui esse caminho porque as pessoas transgênero são estigmatizadas, importunadas, perseguidas e tratadas normalmente como "desviantes" e pervertidas. No entanto, isso mostra como meu sistema classificatório não é suficiente para dar conta de todas as complexidades existentes. A representação esquemática das hierarquias sexuais nas figuras 1 e 2 foi simplificada para enfatizar a demonstração em questão. Ainda que isso não invalide a demonstração, as verdadeiras relações de poder envolvidas na variação sexual são bem mais complexas.

promíscua, o sadomasoquismo, o fetichismo, a transexualidade e os encontros intergeracionais ainda despertam reações de horror, sendo percebidos como incapazes de envolver afeto, amor, livre escolha, gentileza ou transcendência.

Esse tipo de moralidade sexual tem mais em comum com as ideologias racistas do que com uma verdadeira ética. Ele concede virtude aos grupos dominantes e relega o vício aos desprivilegiados. Uma moralidade democrática deveria julgar os atos sexuais pelo modo como um parceiro trata o outro, o grau de consideração mútua, a presença ou ausência de coerção e a quantidade e qualidade dos prazeres que eles proporcionam. Se os atos sexuais são gays ou heterossexuais, em casal ou em grupo, nus ou com roupa íntima, comerciais ou não comerciais, com ou sem vídeo, não deveria ser objeto de preocupação ética.

É difícil desenvolver uma ética sexual pluralista sem um conceito de variação sexual benigna. A variação é uma propriedade fundamental de toda a vida, desde os organismos biológicos mais simples até as mais complexas formações sociais humanas. Ainda assim, supomos que a sexualidade tem de se conformar a um padrão único. Uma das ideias mais arraigadas a respeito do sexo é a de que existe uma melhor forma de fazê-lo, de modo que todos deveriam fazê-lo dessa forma.

A maior parte das pessoas tem dificuldade em compreender que as coisas que as agradam no sexo podem suscitar repulsa em alguns, e que as coisas que elas abominam sexualmente podem trazer a mais prazerosa das experiências para outra pessoa em outro lugar. Ninguém precisa gostar de praticar nem está obrigado a praticar determinado ato sexual como reconhecimento de que outros podem fazê-lo, e essa diferença não indica falta de bom gosto, saúde mental ou inteligência de qualquer uma das partes. A maioria das pessoas se engana ao considerar suas preferências sexuais como um sistema universal que funciona ou deveria funcionar para todos.

A ideia de uma única sexualidade ideal caracteriza a maioria dos sistemas de pensamento sobre o sexo. Para a religião, o ideal é o casamento procriador. Para a psicologia, a heterossexualidade madura. Ainda que haja variação de conteúdo, o formato de um único padrão sexual é continuamente reiterado em outros quadros retóricos, incluindo o feminismo e o socialismo. Insistir que todas as pessoas deveriam ser lésbicas, não monogâmicas ou libertinas é tão questionável quanto acreditar que todas as pessoas deveriam ser heterossexuais, casadas ou sexualmente convencionais– mesmo que esse conjunto de opiniões seja respaldado por um poder consideravelmente mais coercitivo que aquele.

Os progressistas que ficaram envergonhados ao revelar seu chauvinismo cultural em outros âmbitos costumam exibi-lo no que diz respeito às diferenças sexuais. Aprendemos a amar diferentes culturas por serem expressões únicas da inventividade humana, e não por serem hábitos inferiores e repugnantes de selvagens. Precisamos tratar as diferentes culturas sexuais com um entendimento antropológico à altura. As pesquisas empíricas sobre o sexo são o único campo que incorpora um conceito positivo da variação sexual. Alfred Kinsey abordou o estudo do sexo com a mesma curiosidade desinibida com que havia examinado uma espécie de vespa. Seu distanciamento científico proporcionou a seu trabalho uma neutralidade revigorante que provocou a ira dos moralistas e causou imensa controvérsia (Kinsey, Pomeroy & Martin 1948; Kinsey, Pomeroy, Martin & Gebhard 1953). Dentre os sucessores de Kinsey, John Gagnon e William Simon foram pioneiros na aplicação de concepções sociológicas à variação erótica (Simon & Gagnon 1967, 1970; Gagnon 1977). Mesmo algo da sexologia mais antiga se mostra útil. A maior parte dos primórdios da sexologia se expressou na linguagem científica do período, que incluía as ideias de evolução social, racismo e eugenia. No entanto, os textos de Krafft-Ebing, Havelock Ellis e Magnus Hirschfeld são ricos em detalhes. Ellis foi um observador especialmente perspicaz, demonstrando receptividade ao estudar o comportamento sexual e a emoção. Em seu trabalho, Hirschfeld e Ellis defenderam com eloquência a descriminalização e a desestigmatização da homossexualidade (Krafft-Ebing 1899; Hirschfeld 1914; Ellis 1936).[28]

---

28. Hirschfeld, Krafft-Ebing, Ellis e outros nomes do início da sexologia são cada vez mais reconhecidos como figuras importantes que, apesar da linguagem científica do fim do século XIX e início do século XX, contribuíram de forma importante para o estudo da sexualidade humana. O maravilhoso *Modernization of Sex*, de Paul Robinson (1976), foi um dos primeiros a tratar de Ellis, e de forma bastante generosa. Ver também Rosario 1997; Oosterhuis 2000, Steakley 1997; Bland & Doan 1998a; 1998b; Sulloway 1979. [N. A. 2011]

Grande parte dos escritos políticos sobre sexualidade revela uma ignorância completa tanto da sexologia clássica quanto das pesquisas modernas sobre o sexo. Talvez isso se deva ao baixo número de faculdades e universidades que se preocupam com o ensino da sexualidade humana, e à estigmatização que cerca mesmo a pesquisa acadêmica sobre o sexo. Nem a sexologia nem a pesquisa sobre o sexo são imunes ao sistema predominante de valor sexual. Ambas incluem pressupostos e informações que não deveriam ser tomados de forma acrítica. De todo modo, a sexologia e a pesquisa sobre o sexo nos trazem uma ampla gama de detalhes, uma serenidade acolhedora e uma capacidade bem desenvolvida de tratar a variedade sexual como algo que existe, e não como algo a exterminar. Essas duas áreas podem oferecer um fundamento empírico necessário para uma teoria radical da sexualidade mais útil que a combinação da psicanálise com os princípios elementares do feminismo, aos quais tantos textos recorrem.

Transformações do sexo

A sodomia – a dos antigos direitos civil ou canônico – era um tipo de ato interdito e o autor não passava de seu sujeito jurídico. O homossexual do século XIX torna-se uma personagem: um passado, uma história, uma infância, um caráter, uma forma de vida; também é morfologia, com uma anatomia indiscreta e, talvez, uma fisiologia misteriosa [...] O sodomita era um reincidente, agora o homossexual é uma espécie.
M. FOUCAULT, *A história da sexualidade.*

Apesar de numerosas continuidades com formas ancestrais, os arranjos sexuais modernos têm um caráter que os distingue dos sistemas preexistentes. Na Europa ocidental e nos Estados Unidos, a industrialização e a urbanização remodelaram as populações rurais e camponesas, convertendo-as em uma nova força de trabalho industrial e urbana. Elas geraram novas formas de aparato estatal, reorganizaram as relações familiares, alteraram os papéis de gênero, tornaram possíveis novas formas de identidade, produziram novas variedades de desigualdade social e criaram novos formatos de conflito ideológico e político. Também deram origem a um novo sistema sexual caracterizado por tipos distintos de pessoas, populações, estratificação e conflitos políticos sexuais.

Os escritos da sexologia do século XIX sugerem o advento de um tipo de especiação erótica. Por mais estranhas que possam ser as explicações dos primeiros sexologistas, eles testemunhavam o aparecimento de novos tipos de indivíduos eróticos e seu agrupamento em comunidades rudimentares. O sistema sexual moderno contém várias dessas populações sexuais, estratificadas por meio do funcionamento de uma hierarquia ideológica e social. As diferenças de valor social atribuídas a esses grupos criam certo atrito entre eles, que entram em disputas políticas para alterar ou manter seu lugar na hierarquia. As políticas sexuais contemporâneas deveriam ser reconceitualizadas com base no aparecimento e no desenvolvimento contínuo desse sistema, suas relações sociais, as ideologias com as quais ele é interpretado e seus modos característicos de conflito.

A homossexualidade é o melhor exemplo desse processo de especiação erótica. O comportamento homossexual esteve sempre presente entre os humanos. Contudo, em diferentes sociedades e épocas, ele pode ser recompensado ou punido, exigido ou proibido, uma experiência temporária ou uma vocação para toda a vida. Em algumas sociedades da Nova Guiné, por exemplo, as atividades homossexuais são obrigatórias para todos os homens. Os atos homossexuais são considerados completamente masculinos, os papéis são baseados na idade e os parceiros são determinados pelo status do parentesco (Herdt 1981; Kelly 1976; Rubin 1974, 1982; Van Baal 1966; Williams 1936). Ainda que esses homens tenham comportamentos extensivamente homossexuais e pedófilos, eles não são nem homossexuais nem pederastas.

Nem o sodomita do século XVI era homossexual. Em 1631, Mervyn Touchet, conde de Castlehaven, foi julgado e executado por sodomia. As atas do julgamento mostram que o conde não se entendia nem era visto por qualquer pessoa como sendo de um tipo específico de indivíduo sexual.

> Ainda que do ponto de vista do século XX o lorde Castlehaven sofresse obviamente de problemas psicossexuais, necessitando dos serviços de um analista, do ponto de vista do século XVII ele tinha infringido deliberadamente a Lei de Deus e as Leis da Inglaterra, necessitando dos serviços mais modestos de um executor. (Bingham 1971: 465)

O conde não vestia seu gibão mais apertado e saía saltitando rumo à taverna gay mais próxima para se encontrar com os companheiros sodomitas. Ele ficava na mansão e sodomizava os servos. A consciência gay, os bares gays, o sentido de pertencimento a um grupo e mesmo o termo *homossexual* não faziam parte do universo do conde.

O solteiro da Nova Guiné e o nobre sodomita estão relacionados apenas tangencialmente com o homem gay moderno, que talvez migre do Colorado para São Francisco para morar em um bairro gay, trabalhar em uma empresa gay e participar de uma experiência complexa que envolva uma identidade consciente, a solidariedade com os membros de um grupo, uma literatura, uma imprensa e um alto grau de atividade política. Nas sociedades ocidentais industriais modernas, a homossexualidade adquiriu grande parte da estrutura institucional de um grupo étnico (Harry & DeVall 1978; Murray 1979).

A realocação do homoerotismo dentro dessas comunidades quase étnicas, nucleadas, sexualmente constituídas é, em certa medida, consequência da transferência de populações provocada pela industrialização. À medida que os trabalhadores foram migrando para trabalhar nas cidades, aumentaram as oportunidades de formação voluntária de comunidades. Homens e mulheres com inclinações homossexuais – que teriam ficado vulneráveis e isolados na maioria dos povoados pré-industriais – começaram a se reunir nas pequenas esquinas das cidades grandes. A maior parte das grandes cidades do século XIX na Europa ocidental e América do Norte tinha áreas onde homens poderiam circular para flertar com outros homens. As comunidades lésbicas parecem ter se formado mais lentamente e em menor escala. No entanto, por volta da década de 1980, havia vários cafés em Paris, perto da Place Pigalle, que costumavam reunir uma clientela lésbica, e é provável que tenham existido lugares semelhantes nas outras grandes capitais da Europa ocidental.

As áreas desse tipo foram adquirindo uma má reputação, o que chamou a atenção de outros indivíduos interessados em sua existência e localização. Nos Estados Unidos, havia territórios lésbicos e gays bem estabelecidos em Nova York, Chicago, São Francisco e Los Angeles na década da 1950.[29] As migrações por motivos sexuais

---

29. O que não implica que não tenham existido concentrações de gays e lésbicas anteriormente em algumas cidades. [N. A. 2011]

para lugares como o Greenwich Village se tornaram um fenômeno sociológico relevante. No fim da década de 1970, as migrações sexuais se davam em uma escala tão significativa que começaram a ter um impacto perceptível na política urbana dos Estados Unidos, tendo São Francisco como seu mais considerável e notório exemplo.[30]

A prostituição passou por uma metamorfose semelhante. Ela começou a se transformar de trabalho temporário em ocupação mais permanente em decorrência da agitação do século XIX, das reformas na legislação e da perseguição policial. As prostitutas, que antes faziam parte da população de trabalhadores em geral, foram se tornando cada vez mais isoladas, passando a integrar um grupo proscrito (Walkowitz 1980). Elas e outros profissionais do sexo se distinguem dos homossexuais e outras minorias sexuais. O trabalho do sexo é uma ocupação, enquanto o desvio sexual é uma preferência erótica. Ainda assim, eles compartilham algumas características comuns de organização social. Como os homossexuais, as prostitutas são uma população sexual criminosa, estigmatizada pela atividade sexual que praticam. As prostitutas e os homossexuais masculinos são a presa favorita das ações policiais das delegacias de costumes ao redor do mundo.[31] Assim como os homens gays, as prostitutas ocupam áreas urbanas bem demarcadas e entram em confronto com a polícia para defendê-las e preservá-las. A perseguição legal de ambas as populações é justificada com base em uma elaborada ideologia que as classifica como perigosas, inferiores, indesejáveis, além de desprovidas do direito de ficar em paz.

Além de organizar homossexuais e prostitutas em populações localizadas, a "modernização do sexo" gerou um sistema de etnogênese sexual contínua. Outras populações de dissidentes eróticos – comumente associadas a "perversões" ou "parafilias" – também começaram a se formar. As sexualidades continuam a se afastar do DSM para entrar nas páginas da história social.[32] Atual-

---

30. Uma análise mais aprofundada desses processos está disponível em Bérubé 1981a; D'Emilio 1981, 1983; Foucault [1976] 1999; Katz 1976; Weeks 1977, 1981.

31. Os policiais das delegacias de costumes também perturbam todos os negócios relacionados a sexo, sejam eles bares, saunas gays, livrarias para adultos, produtores e distribuidores de publicações de arte erótica ou clubes de *swing*.

32. Minha intenção aqui não foi associar a denominação das perversões na literatura médica à criação dos grupos sociais; pelo contrário, o surgimento de

mente, vários grupos estão tentando tomar por modelo os sucessos alcançados pelos homossexuais. Bissexuais, sadomasoquistas, indivíduos que preferem encontros intergeracionais, transexuais e travestis estão todos em etapas distintas de formação de comunidade e aquisição de identidade. Não se trata de uma proliferação das perversões, mas da busca de um espaço social, da possibilidade de ter pequenos negócios, de garantir recursos políticos e conquistar certo alívio em relação às penalidades aplicadas a eles por heresia sexual.

A estratificação do sexo

Surge toda uma gentalha diferente, apesar de alguns parentescos com os antigos libertinos. Do final do século XVIII até o nosso, eles correm através dos interstícios da sociedade perseguidos pelas leis, mas nem sempre, encerrados frequentemente nas prisões, talvez doentes, mas vítimas escandalosas e perigosas presas de um estranho mal que traz também o nome de "vício" e, às vezes, de "delito". Crianças demasiado espertas, meninas precoces, colegiais ambíguos, serviçais e educadores duvidosos, maridos cruéis ou maníacos, colecionadores solitários, transeuntes com estranhos impulsos: eles povoam os conselhos de disciplina, as casas de correção, as colônias penitenciárias, os tribunais e asilos; levam aos médicos suas infâmias e aos juízes suas doenças. Incontável família dos perversos que se avizinha dos delinquentes e se aparenta com os loucos.

M. FOUCAULT, *A história da sexualidade.*

A transformação industrial da Europa Ocidental e da América do Norte trouxe novas formas de estratificação social. As desigualdades de classe decorrentes disso são bem conhecidas e têm sido investigadas de forma aprofundada há mais de um século. A construção de sistemas modernos de racismo e injustiça étnica tem sido bem documentada e criticamente avaliada. O pensamento

---

grupos identificáveis acarretou a classificação médica. Essa observação se referiu, na verdade à mobilização social e política, e a uma espécie de autoconfiança ideológica que se manifesta quando essas populações são capazes de contestar seu rebaixamento às categorias de doenças mentais e afirmar sua legitimidade social. [N. A. 2011]

feminista analisou a organização predominante da opressão de gênero. Mas mesmo que grupos eróticos específicos, como os militantes homossexuais e os profissionais do sexo, tenham lutado contra os maus-tratos a que são submetidos, não houve uma tentativa semelhante de localizar variedades particulares de perseguição sexual em um sistema mais geral de estratificação sexual. Ainda assim, esse sistema existe e sua forma contemporânea é decorrente da industrialização ocidental.

A legislação sobre o sexo é o instrumento mais implacável da estratificação sexual e da perseguição erótica. O Estado intervém sistematicamente no comportamento sexual, em um grau que não seria tolerado em outras áreas da vida social. A maior parte das pessoas desconhece a amplitude da legislação sexual, a quantidade e as qualidades do comportamento sexual ilegal e o caráter punitivo das sanções legais. Ainda que as agências federais possam trabalhar em casos de obscenidade e prostituição, a maioria das leis sexuais é promulgada em nível estadual ou municipal, e a garantia de sua aplicação cabe em grande parte à polícia local. Existe, portanto, uma enorme variação de leis de um lugar para outro. Além disso, a aplicação das leis que tratam do sexo varia radicalmente de acordo com o clima político local. Ainda que esse cenário jurídico seja tão emaranhado, é possível tentar elaborar algumas generalizações qualificadas. Minha análise da legislação a respeito do sexo não é aplicável às leis contra coerção sexual, violência sexual ou estupro, mas aborda as inúmeras proibições quanto ao sexo consensual e as violações de "status", como o estupro estatutário.

A legislação sobre o sexo é bastante severa. As penalidades por violá-la são completamente desproporcionais a qualquer outro dano social ou individual. Em muitos estados, um único ato de sexo consensual mas ilícito, como colocar os lábios na genitália de um parceiro excitado, é punido mais severamente do que o estupro, a agressão ou o assassinato. Cada um desses beijos na genitália, cada carícia lasciva, configura um crime distinto, de modo que é bastante fácil cometer múltiplos delitos no decorrer de uma única noite de paixão ilícita. Uma vez que a pessoa tenha sido condenada por violar algumas dessas leis, a repetição do ato pode enquadrá-la como reincidente, e as penalidades decorrentes serão ainda mais duras. Em alguns estados, indivíduos se tornaram criminosos reincidentes por terem tido relações homossexuais em duas ocasiões diferentes. Quando um ato erótico é proscrito pela legislação, todo o poder estatal é mobilizado para assegurar a conformidade aos valores que ela estabelece. Além disso, é particularmente fácil aprovar novas leis sobre o sexo, já que os legisladores não costumam ser brandos com o que é considerado imoral. A partir do momento em que são inscritas nos livros, as leis se tornam extremamente difíceis de flexibilizar.

A legislação sobre o sexo não é um reflexo perfeito da moral predominante no comportamento sexual. A variedade sexual *per se* é mais especificamente policiada por profissionais da saúde mental, pela ideologia popular e por práticas sociais extralegais. Alguns dos comportamentos eróticos mais detestados, como o fetichismo e o sadomasoquismo, não são tão estreitamente ou amplamente regulamentados pelo sistema de justiça criminal quanto outras práticas de certa forma menos estigmatizadas, como a homossexualidade. As diferentes formas de comportamento sexual passam a integrar a competência da lei quando chegam a ser motivo de preocupação social ou agitação política. Cada momento de histeria sexual ou campanha pela moralidade deposita novas disposições legais como uma espécie de registro fóssil de sua passagem. O sedimento legal é mais espesso – e a legislação sexual encontra sua potência máxima – nas formas de comportamento sexual relacionadas a obscenidade, dinheiro, menores e homossexualidade.

As leis de obscenidade impõem um tabu poderoso contra a representação direta de atividades eróticas. O atual interesse pela forma como a sexualidade se tornou foco de atenção social não deve ser indevidamente utilizado de modo a fragilizar uma crítica a essa proibição. Uma coisa é criar um discurso sexual na forma de psicanálise ou no decorrer de uma campanha pela moralidade. Outra muito diferente é representar explicitamente atos sexuais ou genitália. A primeira tem uma aceitabilidade social bem maior que a segunda. O discurso sexual é forçado a ser reticente, eufemístico e indireto. A liberdade de falar sobre sexo é uma notória exceção às proteções da Primeira Emenda, que nem ao menos se considera aplicável ao discurso puramente sexual.

As leis contra a obscenidade também fazem parte de uma legislação mais ampla que torna ilegal quase todo comércio sexual.

A legislação sexual proíbe severamente a mistura entre sexo e dinheiro, exceto no matrimônio. Além das leis contra a obscenidade, há aquelas contra a prostituição, a regulamentação quanto a bebidas alcoólicas e quanto à localização e ao funcionamento de estabelecimentos "para adultos". Tanto a indústria do sexo quanto a economia gay conseguiram driblar parte dessa legislação, mas esse processo não foi fácil nem simples. A presunção de criminalidade que subjaz o comércio voltado para o sexo o mantém em condições marginais, subdesenvolvidas e distorcidas. Os empreendimentos dedicados ao sexo só podem operar nas brechas da lei. Isso faz com que o nível dos investimentos tenda a permanecer baixo e que grande parte da atividade comercial se concentre em escapar das penalidades, e não na distribuição de bens e prestação de serviços. Isso também torna os profissionais do sexo mais vulneráveis à exploração e a condições ruins de trabalho. Se o comércio do sexo fosse legal, os profissionais do sexo teriam mais chances de se organizar e lutar por melhores condições de remuneração e de trabalho, uma autonomia maior e uma estigmatização menor. Seja qual for a posição da pessoa em relação às limitações do comércio capitalista, uma exclusão tão extrema do mercado dificilmente seria socialmente aceitável em outras áreas de atividade. Imaginemos, por exemplo, que a troca de dinheiro por cuidado médico, atendimento farmacêutico e consultas psicológicas fosse ilegal. A prática médica teria lugar em condições muito menos satisfatórias se médicos, enfermeiras, farmacêuticos e terapeutas estivessem sujeitos a prisão de acordo com os caprichos do "pelotão da saúde" local. É basicamente nessa situação que se encontram as prostitutas, os profissionais do sexo e os empreendedores do sexo.

Os progressistas têm uma tendência a discutir o comércio capitalista como se o socialismo fosse a única alternativa possível. Eles muitas vezes não conseguem comparar o capitalismo a sistemas menos salutares de extração econômica e dominação política: por exemplo, as muitas variedades de feudalismo e despotismo pré-moderno. Mesmo Marx considerava o mercado capitalista uma força revolucionária, ainda que limitada. Para ele, o capitalismo era progressista no que dizia respeito à dissolução das superstições e dos preconceitos pré-capitalistas e aos vínculos estabelecidos nos modos tradicionais de vida. "Daí a grande influência civilizadora do capital, sua produção de um nível de sociedade em comparação com o qual todos os anteriores aparecem somente como desenvolvimentos locais da humanidade e como idolatria da natureza" (Marx [1939] 2011: 334). Dissociar o sexo da percepção dos efeitos positivos da economia de mercado não o torna socialista. Pelo contrário, a marginalidade legal tende a puxar o comércio do sexo para o lado oposto: em direção ao despótico e ao feudal.

A lei é especialmente feroz ao manter a fronteira entre a "inocência" infantil e a sexualidade "adulta". Em vez de reconhecer a sexualidade dos jovens e tentar se ocupar dela com cuidado e responsabilidade, nossa cultura nega e pune o interesse e a atividade erótica de qualquer pessoa com idade de consentimento menor que a permitida localmente. A quantidade de leis dedicadas a proteger os jovens de uma exposição prematura à sexualidade é de tirar o fôlego.

O mecanismo principal para assegurar a separação de gerações em relação ao sexo são as leis do consentimento de idade. Essas leis não fazem distinção entre o mais brutal dos estupros e o mais afetuoso dos romances. Uma pessoa de vinte anos considerada culpada de contato sexual com outra de dezessete tem de lidar com sentenças severas em quase todos os estados, independentemente da natureza da relação.[33] Também não são permitidas aos menores outras formas de acesso à sexualidade "adulta". Proíbe-se que leiam livros, vejam filmes ou programas de televisão que retratem a sexualidade de forma "demasiadamente" explícita. É legalmente permitido que os jovens assistam a cenas horrendas de violência, mas não fotos explícitas de genitália. Os jovens sexualmente ativos com frequência são encarcerados em centros de internação juvenil ou punidos de outras formas por sua "precocidade".

Os adultos que se desviarem muito dos modelos convencionais de conduta sexual muitas vezes se veem impedidos de manter contato com os jovens, mesmo que estes sejam seus filhos. As leis de custódia permitem que o Estado roube os filhos de qualquer pessoa cujas atividades eróticas pareçam questionáveis para os juízes da vara de família. Incontáveis lésbicas, gays, prostitutas, *swingers*, profissionais do sexo e mulheres "promíscuas" foram

---

33. Norton 1981 oferece uma síntese excepcional de grande parte da legislação sexual, e deveria ser lido por todos que têm interesse na temática do sexo.

considerados inaptos para criar os filhos com base nessas disposições. Profissionais ligados à docência são monitorados de perto quanto a sinais de conduta sexual inadequada. Na maior parte dos estados, existem leis de certificação que exigem que os professores detidos por crimes sexuais percam o emprego e as credenciais. Em alguns casos, pode-se demitir um professor simplesmente porque dirigentes escolares ficaram sabendo de seu estilo de vida não convencional. A corrupção moral é um dos poucos fundamentos legais que servem para justificar a revogação da posição de um professor em um cargo acadêmico (Beserra, Franklin & Clevenger 1977: 165-67). Quanto maior a influência de uma pessoa sobre a geração seguinte, menos liberdade lhe é permitida em relação a comportamento e opinião. O poder coercitivo da lei assegura a transmissão dos valores sexuais conservadores por meio desses tipos de controle sobre a parentalidade e a prática docente.

O único comportamento sexual adulto considerado legal em todos os estados é a introdução do pênis na vagina no matrimônio. Algumas leis que incluem o consentimento adulto aliviam um pouco essa situação em menos da metade dos estados. A maioria deles impõe penalidades criminais severas em caso de sodomia consensual, contato homossexual sem sodomia, adultério, sedução e incesto adulto. As leis que tratam da sodomia variam imensamente. Em alguns estados, elas se aplicam tanto a parceiros homossexuais quanto a heterossexuais e independem da situação conjugal. Alguns tribunais estaduais decidiram que casais casados têm o direito de praticar a sodomia no âmbito privado. Somente a sodomia homossexual é ilegal em alguns estados. Algumas legislações sobre a sodomia proíbem tanto o sexo anal quanto o contato oral-genital. Em alguns estados, a sodomia se aplica apenas à penetração anal, e o sexo oral é regulado por leis independentes (Beserra, Jewel, Matthews & Gatov 1973: 163).[34]

---

34. Essa edição mais antiga do *Sex Code of California* precede a lei sobre o consentimento de adultos, de 1976, razão pela qual possibilita compreender melhor as leis sobre sodomia. *Incesto* é um termo complicado, cujo significado sofreu redefinições significativas nas últimas décadas. Muitas vezes, é usado para indicar o abuso sexual de crianças dentro das famílias. Contudo, os estatutos de incesto geralmente proíbem o sexo ou o casamento entre parentes próximos adultos. Como tal, o incesto é uma área do direito distinta da relacionada ao abuso sexual de crianças por adultos dentro ou fora das famílias. Ver p. 121.

Leis como essas criminalizam comportamentos sexuais livremente escolhidos e avidamente procurados. A ideologia subjacente a elas reflete as hierarquias de valor discutidas acima. Isso quer dizer que alguns atos sexuais são considerados tão intrinsecamente maus que ninguém deveria ter permissão para praticá-los sob circunstância alguma. O fato de haver consentimento com esses atos – ou mesmo preferência por eles – por parte de alguns indivíduos é considerado um indício adicional de depravação. Esse sistema de legislação sobre o sexo é similar ao racismo legalizado. A proibição, por um Estado, do contato sexual entre pessoas do mesmo sexo, da penetração anal e do sexo oral faz com que os homossexuais sejam um grupo criminoso ao qual são negados os privilégios de uma cidadania plena. Com leis assim, o próprio processo se torna uma forma de perseguição. Mesmo que elas não venham a ser rigorosamente cumpridas, como geralmente ocorre, os membros de comunidades sexuais criminalizadas continuam vulneráveis à possibilidade da prisão arbitrária, ou a se tornar motivo de pânico social em determinados períodos. Em momentos assim, as leis reafirmam que estão em vigor e a ação policial se dá rapidamente. Mesmo que essa legislação seja cumprida de forma esporádica, ela serve para lembrar aos indivíduos que eles fazem parte de uma população perseguida. As prisões ocasionais por sodomia, comportamento lascivo, oferecimento de programas por profissionais do sexo para clientes em potencial, bem como sexo oral, mantêm as pessoas nervosas, com medo e mais cautelosas.[35]

O Estado também sustenta a hierarquia sexual por meio de normas burocráticas. A política de imigração ainda proíbe a admissão de homossexuais (ou outros "desviantes" sexuais) nos Estados Unidos. As normas militares impedem que os homossexuais sirvam nas Forças Armadas.[36] O fato de homossexuais não poderem se casar le-

---

35. Quanto à decisão de que as leis estaduais de sodomia são inconstitucionais, ver a nota 26. Apesar da descriminalização da sodomia, muitas leis usadas para prender homossexuais ainda estão em vigor e são aplicadas, e ainda há uma grande desigualdade jurídica no que diz respeito ao sexo gay. [N. A. 2011]

36. Bérubé (1990) traz um excelente histórico das relações entre os gays e o exército americano. (Esta seção foi escrita quase uma década antes de o "Don't Ask, Don't Tell" [Não pergunte, não conte] alterar a proibição total da presença de gays nas Forças Armadas, quando as tentativas de revogar a proibição fracassaram. [N. A. 2011]

galmente implica que não podem desfrutar dos mesmos direitos legais que os heterossexuais em muitos aspectos, dentre os quais herança, impostos, direito de se recusar a depor contra o cônjuge e aquisição de cidadania para companheiros estrangeiros.[37] Essas são apenas algumas das muitas formas pelas quais o Estado reflete e mantém as relações sociais de sexualidade. A lei reforça estruturas de poder, códigos de comportamento e formas de preconceito. Em seus piores extremos, a legislação sexual e a regulamentação sexual são simplesmente um apartheid sexual. Apesar de o aparato legal do sexo ser espantoso, a maior parte do controle social cotidiano é extralegal. São impostas sanções sociais menos formais, mas muito efetivas, aos membros de populações sexuais "inferiores".

Em seu maravilhoso estudo etnográfico da vida gay na década de 1960, Esther Newton observou que a população homossexual estava dividida entre os que ela chamou de "explícitos" (*overts*) e "discretos" (*coverts*). "Os explícitos passam toda a vida profissional dentro do contexto da comunidade (gay); os discretos passam toda a *vida não profissional* dentro dela" (Newton 1972: 21). Na época em que Newton realizou sua pesquisa, a comunidade gay proporcionava bem menos empregos que hoje, e o mundo do trabalho não gay era quase totalmente intolerante com a homossexualidade. Havia alguns indivíduos afortunados que podiam ser abertamente gays e ganhar salários decentes, mas a grande maioria dos homossexuais tinha que escolher entre uma pobreza honesta ou o desgaste de sustentar uma identidade falsa.

Ainda que essa situação tenha mudado bastante, a discriminação contra gays ainda é feroz. Para a imensa maioria da população gay, ainda é impossível ser assumido no trabalho. Geralmente, quanto mais importante e mais bem pago for o trabalho, menos a sociedade

---

37. Grande parte da luta pela igualdade civil gay tem se voltado exatamente para estas questões: casamento, serviço militar, imigração, tributação confiscatória e distribuição discriminatória de benefícios. Em 2010, quando escrevo esta nota, prevê-se a revogação do "Don't Ask, Don't Tell", resíduo da proibição de homossexuais no serviço militar, que tecnicamente, no entanto, ainda está em vigor. Os conflitos em relação ao casamento entre pessoas do mesmo sexo explicitaram o impacto das proibições de Estado e da Lei Federal de Defesa do Matrimônio sobre questões de cidadania, assistência médica e tributação. Para um excelente panorama das questões do casamento entre pessoas do mesmo sexo, ver Chauncey 2004. [N. A. 2011]

tolera um "desvio" erótico explícito. Se para homossexuais é difícil conseguir um emprego em que não precisem fingir, a dificuldade é duas ou três vezes maior para indivíduos com preferências sexuais consideradas mais exóticas. Os sadomasoquistas deixam suas roupas fetichistas em casa e sabem que devem ser particularmente cautelosos para manter oculta sua identidade verdadeira. Um pedófilo, se descoberto, seria provavelmente apedrejado para fora do escritório.[38] Ter que manter tamanho sigilo é um fardo considerável. Mesmo as pessoas que não se importam em manter segredo podem ser descobertas acidentalmente. Os indivíduos cujas preferências eróticas fogem ao convencional se arriscam a não conseguir trabalho ou a não poder seguir sua vocação profissional.

As autoridades públicas ou qualquer pessoa que ocupe uma posição socialmente significativa são especialmente vulneráveis. Um escândalo sexual é o método mais seguro para perseguir e tirar alguém do governo ou destruir uma carreira política. O fato de que a expectativa é a de que pessoas importantes se ajustem aos padrões mais rígidos de conduta erótica desestimula pervertidos sexuais de todos os tipos a buscar esses cargos. Em vez disso, os dissidentes sexuais são canalizados para posições de menor impacto nas principais esferas sociais de atividade e opinião. A expansão da economia gay durante a última década tem trazido algumas alternativas de emprego e algum alívio à discriminação contra homossexuais no âmbito profissional. A maioria dos empregos proporcionados pela economia gay, porém, oferece apenas um status baixo e salários reduzidos. *Bartenders*, funcionários de saunas e DJs não trabalham em bancos nem são executivos corporativos. Muitas das pessoas que por razões sexuais migram em massa para lugares como São Francisco já estão em uma situação financeira difícil, e têm de encarar extrema concorrência no mercado de trabalho. O influxo de pessoas que migram por motivos sexuais traz uma ampla mão de obra barata e explorável para muitos dos empreendimentos da cidade, tanto gays quanto heterossexuais.

---

38. *Pedófilo* é outro termo cujo significado se modificou desde que este ensaio foi escrito. Ele é agora usado quase como sinônimo de "molestador infantil". Molestar é um ato ilegal. A pedofilia, tecnicamente, é um estado psicológico e não indica nada a respeito do que uma pessoa faz. [N. A. 2011]

As famílias exercem um papel crucial na imposição da conformidade sexual. Muito da pressão social tem como propósito negar aos dissidentes eróticos as comodidades e os recursos que as famílias proporcionam. De acordo com a ideologia popular, não se espera que as famílias produzam ou acolham a não conformidade erótica. Muitas famílias reagem a isso tentando reformar, castigar ou exilar membros que sejam sexualmente desviantes. Muitos dos que migram por razões sexuais foram expulsos de casa pela família, e muitos estão fugindo da ameaça de institucionalização. Qualquer amostra aleatória de homossexuais, profissionais do sexo e outros pervertidos pode trazer histórias tristes e cruéis de rejeição e maus-tratos por parte de famílias horrorizadas. O Natal é o maior feriado familiar dos Estados Unidos e, consequentemente, uma época de tensão considerável na comunidade gay. Enquanto metade dos habitantes vão ver a família de origem, muitos dos que ficam nos guetos gays não podem fazê-lo, revivendo, assim, seu ressentimento e sua dor.

Além das sanções econômicas e da tensão nas relações familiares, o estigma da dissidência erótica cria atrito em todos os demais aspectos da vida cotidiana. As pessoas em geral ajudam a penalizar a não conformidade sexual quando, seguindo os valores que lhes foram ensinados, proprietários se recusam a alugar seus imóveis, vizinhos chamam a polícia e arruaceiros cometem assédio com a aprovação da sociedade. As ideologias da inferioridade erótica e do perigo sexual reduzem o poder dos pervertidos sexuais e dos profissionais do sexo em encontros sociais de todos os tipos. Eles desfrutam de menor proteção diante de comportamentos inescrupulosos ou criminosos, de menor acesso à proteção policial e de menor recurso aos tribunais. As relações com as instituições e as burocracias – hospitais, polícia, delegados, bancos, autoridades públicas – são mais difíceis.

O sexo é um vetor de opressão. O sistema de opressão sexual atravessa outros modos de desigualdade social, separando indivíduos ou grupos segundo sua própria dinâmica interna. Ele não é reduzível nem compreensível quanto a classe, raça, etnicidade ou gênero. Aspectos como sucesso financeiro, pele branca, ser homem e ter privilégios étnicos podem mitigar os efeitos da estratificação sexual. Um homem branco rico e pervertido geralmente será menos afetado que uma mulher negra pobre e pervertida. Mas nem os mais privilegiados estão imunes à opressão sexual.

Algumas das consequências do sistema de hierarquia sexual são simples aborrecimentos, enquanto outras são bastante graves. Em suas manifestações mais sérias, o sistema sexual é um pesadelo kafkiano em que vítimas desafortunadas se tornam manadas de humanos que, uma vez identificados, vigiados, detidos, tratados, encarcerados e punidos, produzem empregos e realização pessoal para milhares de policiais das delegacias de costumes, agentes penitenciários, psiquiatras e assistentes sociais.[39]

Os conflitos em torno do sexo

> *O pânico moral cristaliza medos e angústias bastante difundidos, e muitas vezes os enfrenta não buscando as causas reais dos problemas e as circunstâncias que eles demonstram, mas deslocando-os como "demônios do povo" de algum grupo social concreto (muitas vezes chamado de "imoral" ou "degenerado"). A sexualidade tem tido um papel particularmente importante em tais pânicos, e os "desviantes" sexuais têm sido os bodes expiatórios onipresentes.*
> JEFFREY WEEK, *Sex, Politics and Society.*

O sistema social não é uma estrutura monolítica nem onipotente. Disputas em torno das definições, avaliações, arranjos, privilégios e custos do comportamento sexual ocorrem continuamente. A luta política sobre o sexo assume formas características.

A ideologia sexual exerce um papel crucial na experiência sexual. Consequentemente, as definições e as avaliações da conduta sexual são objeto de lutas amargas. Os enfrentamentos entre o início do movimento gay e o *establishment* psiquiátrico são um ótimo exemplo desse tipo de luta, mas os conflitos são constantes. Recorrentemente, há também batalhas entre os principais produtores da ideologia sexual – as igrejas, a família, os psiquiatras e os meios de comunicação – e os grupos cuja experiência eles nomeiam, distorcem e põem em perigo.

---

39. D'Emilio 1983: 40-53 traz uma excelente discussão da opressão dos gays na década de 1950, abrangendo muitas das áreas que mencionei. As dinâmicas que ele descreve, porém, também operam de formas diferentes em outros grupos eróticos e em outros períodos. O modelo específico da opressão contra os gays precisa ser generalizado de modo a ser aplicado, com as devidas modificações, a outros grupos sexuais.

A regulamentação da conduta sexual é outro campo de batalha. Há mais de um século, Lysander Spooner dissecou o sistema estadual de coerção moral em um texto inspirado principalmente nas campanhas contra o consumo de álcool. Em *Vices Are Not Crimes: A Vindication of Moral Liberty* [Vícios não são crimes: uma defesa da liberdade moral], Spooner argumenta que os governos devem proteger seus cidadãos do crime, mas que é tolo, injusto e tirânico legislar contra o vício. Ele discute racionalizações que ainda escutamos hoje em defesa do moralismo legalizado – que os "vícios" (Spooner está se referindo à bebida, mas poderíamos substituí-la por homossexualidade, prostituição ou consumo recreativo de drogas) levam à prática de crimes, de modo que devem ser evitados; que aqueles que praticam os "vícios" são *non compos mentis* e, portanto, o Estado deveria protegê-los da ruína da autodestruição; e que as crianças deveriam ser protegidas de conhecimentos supostamente nocivos (Spooner 1977). O discurso sobre os crimes sem vítima alguma não se modificou muito. A luta jurídica a respeito da legislação sobre o sexo vai continuar até que liberdades básicas de ação e expressão sexual sejam asseguradas. Isso significa revogar todas as leis sobre o sexo, com exceção das poucas que tratam de uma coerção real, e não estatutária; e implica a extinção dos esquadrões antivício, cujo trabalho é fazer cumprir a moralidade legislada.[40]

Além das guerras por definição e legais, existem formas menos óbvias de conflito político, as quais chamo de guerras de território e fronteira. Os processos de formação de comunidades por parte das minorias eróticas, assim como as forças que buscam inibi-las, levam a conflitos quanto à natureza e aos limites das zonas sexuais.

A sexualidade dissidente é mais rara e vigiada bem mais de perto nas cidades pequenas e nas áreas rurais. Consequentemente, a vida metropolitana continua a atrair os jovens pervertidos. A migração por razões sexuais motiva a concentração de agrupamentos de parceiros, amigos e sócios em potencial. Ela possibilita que indivíduos estabeleçam e vivam dentro de redes adultas de afinidade. Para esses migrantes, porém, existem muitas barreiras a superar.

---

40. Não estou tão certa quanto ao estupro estatutário dever ser eliminado das áreas do direito, mas ainda estou convencida de que a questão realmente precisa ser completamente reavaliada. [N. A. 2011]

De acordo com o preconceito divulgado pela grande mídia e a ideologia popular, os mundos sexuais marginais são deprimentes e perigosos. Eles são retratados como empobrecidos, desagradáveis e habitados por psicopatas e criminosos. Os novos migrantes devem estar motivados o bastante para resistir ao impacto dessas imagens desanimadoras. As tentativas de fazer frente à propaganda negativa por meio de informações mais realistas geralmente esbarram na censura, e há conflitos ideológicos contínuos sobre que representações das comunidades sexuais devem chegar aos meios de comunicação mais populares.

Informações sobre como encontrar, ocupar e viver nos mundos sexuais marginais também são suprimidas. Os guias são escassos e inexatos. No passado, os rumores, as fofocas distorcidas e a publicidade negativa eram a maneira mais viável de tomar conhecimento da localização de comunidades eróticas clandestinas. No fim da década de 1960 e início da década de 1970, o acesso a informações melhorou consideravelmente.[41] Atualmente, grupos como o Moral Majority querem reerguer os muros ideológicos em torno dessas comunidades e dificultar ao máximo que as pessoas entrem e saiam delas.

Migrar custa caro. Os custos com transporte, mudança e a necessidade de encontrar trabalho e moradia são algumas das dificuldades econômicas que aqueles que migram por motivos sexuais devem superar. Transpor essas barreiras é especialmente difícil para os jovens, que muitas vezes são os que mais precisam se mudar. Existem, no entanto, rotas dentro das comunidades eróticas capazes de abrir espaço em meio a tantas propagandas negativas, proporcionando algum apoio econômico ao longo do processo. O ensino superior pode ser um caminho para jovens de origem abastada. Apesar das sérias limitações, as informações sobre comportamento sexual oferecidas na maior parte das faculdades e universidades são melhores do que as encontradas em quaisquer outros lugares, e muitas dessas instituições abrigam pequenas redes eróticas de todos os tipos.

Para jovens mais pobres, ingressar nas Forças Armadas é frequentemente o jeito mais fácil de escapar o quanto antes de onde quer

---

41. Agora, é claro, a internet está inundada por um excesso de informações. O problema atual é menos a quantidade de informações que sua qualidade. [N. A. 2011]

que estejam. As proibições da homossexualidade entre militares fazem com que este seja um caminho arriscado. Apesar de jovens gays tentarem continuamente usar as Forças Armadas como rota de fuga de situações domésticas intoleráveis, bem como para se aproximar de comunidades gays funcionais, eles enfrentam riscos de exposição, tribunal militar e dispensa desonrosa.

Uma vez nas cidades, as populações eróticas tendem a formar núcleos e a ocupar um território regular e visível. As igrejas e outras forças antivício pressionam constantemente as autoridades locais a limitar tais áreas, a reduzir sua visibilidade ou expulsar seus habitantes da cidade. Há constantemente medidas de repressão dos esquadrões locais das delegacias de costumes contra as populações controladas por eles. Homens gays, prostitutas e algumas travestis são suficientemente territoriais e numerosos para entrar em confrontos intensos com os policiais a fim de defender sua presença em determinadas ruas, parques e becos. Normalmente, essas guerras por fronteiras não têm resultados definitivos, mas fazem muitas vítimas.

Durante a maior parte do século XX, os submundos sexuais enfrentaram condições de marginalidade e empobrecimento. Seus residentes, por sua vez, foram submetidos a fatores de estresse e exploração. O sucesso espetacular que os empreendedores homossexuais tiveram em criar uma economia gay mais diversificada modificou a qualidade de vida dentro de seu gueto. O nível de conforto material e de organização social alcançado pela comunidade gay nos últimos quinze anos não tem precedentes. Ainda assim, é importante lembrar o que aconteceu com milagres similares. O crescimento da população negra em Nova York no início do século XX levou ao Renascimento do Harlem, mas o período de criatividade murchou com a Grande Depressão. A relativa prosperidade e o florescimento cultural do gueto gay podem ser igualmente frágeis. Como os negros que escaparam do Sul para o Norte metropolitano, talvez os homossexuais tenham simplesmente trocado problemas rurais por problemas urbanos.

Os pioneiros gays ocuparam vizinhanças centrais mas degradadas. Consequentemente, elas fazem fronteira com regiões pobres. Os gays, sobretudo os de baixa renda, acabam competindo com outros grupos economicamente desfavorecidos pela limitada oferta de casas baratas e razoáveis. Em São Francisco, a concorrência pela moradia de baixa renda tem exacerbado tanto o racismo quanto a homofobia, e é uma das causas da epidemia de violência urbana contra homossexuais. Em vez de ficarem isolados e invisíveis em ambientes rurais, os gays que vivem nas cidades são agora numerosos e alvo óbvio das frustrações urbanas.

Em São Francisco, a construção desenfreada de arranha-céus e condomínios de luxo no centro está provocando o desaparecimento de opções de moradia a preços acessíveis. A construção desses enormes empreendimentos coloca pressão sobre todos os habitantes da cidade. Quem anda pelas comunidades de baixa renda é o inquilino gay pobre, não o empreiteiro multimilionário. O espectro da "invasão homossexual" é um conveniente bode expiatório que serve para desviar a atenção dos bancos, do conselho de planejamento, do *establishment* político e das grandes construtoras. Em São Francisco, o bem-estar da comunidade gay acabou se deixando enredar na alta política imobiliária urbana.

Essa expansão afeta todos os territórios do submundo erótico. Tanto em São Francisco quanto em Nova York, as construtoras de alto investimento e revitalização urbana adentraram as principais áreas de prostituição, pornografia e bares frequentados pela comunidade *leather*.[42] Essas construtoras vivem babando pela Times Square, pelo Tenderloin, pelo que sobrou de North Beach e pelo SoMa. A ideologia antissexo, as leis sobre obscenidade, sobre prostituição e bebidas alcoólicas são todas utilizadas para desalojar negócios adultos pouco rentáveis, profissionais do sexo e *leathermen*. Dentro de dez anos, todas essas áreas terão sido demolidas e se tornarão seguras para centros de convenções, hotéis internacionais, sedes corporativas e moradia para os mais abastados.[43]

---

42. A categoria *leather* (couro) designa uma comunidade ampla e heterogênea de homens gays. O uso de roupas e acessórios confeccionados com esse material por homossexuais masculinos vai além de sua identificação com o gosto pela prática do sadomasoquismo, podendo também designar a atração por parceiros másculos, fetichismo, penetração anal com punho (*fist fucking*), entre outras preferências. Gayle Rubin estudou a comunidade de *leathermen* de São Francisco durante seu doutorado na University of Michigan, concluído em 1994 com a tese *The Valley of the Kings: Leathermen in San Francisco, 1960-1990*. Para saber mais, ver Rubin 2011, caps. 4 e 12, "The Leather Menace: Comments on Politics and S/M" e "Sexual Traffic: Interview with Gayle Rubin by Judith Butler", respectivamente. [N. T.]

43. A revitalização da Times Square foi amplamente executada e gerou uma extensa literatura. Alguns exemplos incluem Delaney 1999; Papayanis 2000; Eeckhout 2001. [N. A. 2011]

O tipo de conflito sexual mais importante e de consequências mais graves é o que Jeffrey Weeks chama de "pânico moral". Os pânicos morais são o "momento político" do sexo, durante o qual atitudes difusas são canalizadas na forma de ação política e, a partir disso, de transformação social.[44] A histeria quanto à escravidão branca na década de 1880, as campanhas contra os homossexuais na década de 1950 e o pânico com relação à pornografia infantil no fim da década de 1970 são exemplos típicos de "pânico moral".

Dado o obscurecimento característico da sexualidade nas sociedades ocidentais, as guerras que surgem em torno dela são muitas vezes combatidas de forma indireta, visando a falsos objetivos, sendo conduzidas com uma ira mal direcionada e um caráter alta e intensamente simbólico. As atividades sexuais costumam funcionar como significantes de receios pessoais e sociais com os quais elas não têm relação intrínseca alguma. Durante um pânico moral, esses medos são projetados sobre uma população ou atividade sexual desfavorecida. A mídia fica indignada, o público vira uma multidão furiosa, a polícia é acionada e o Estado promulga novas leis e regulamentos. Após passar o furor, alguns grupos eróticos inocentes terão sido dizimados, e o Estado terá ampliado seu poder para novas áreas do comportamento erótico.

O sistema de estratificação sexual cria vítimas fáceis, desprovidas de poder para se defender, bem como um aparato preexistente para controlar seus movimentos e restringir suas liberdades. O estigma contra os dissidentes sexuais torna-os moralmente indefesos. Todo momento de pânico moral traz consequências em dois níveis. A população visada é a que mais sofre, mas todos são afetados pelas mudanças sociais e legais.

Os pânicos morais raramente aliviam um problema real, visto que se voltam a quimeras e significantes. Eles se aproveitam da estrutura discursiva preexistente de modo a inventar vítimas que justifiquem o tratamento dos "vícios" como crimes. A criminalização de comportamentos inócuos, como homossexualidade, prostituição, obscenidade ou consumo recreativo de drogas, é racionalizada ao retratá-los como ameaças à saúde e à segurança, às mulheres e às crianças, à segurança nacional, à família ou mesmo

---

44. Adotei essa terminologia a partir de uma discussão bastante útil de Weeks 1981: 14-15.

à civilização. Mesmo quando se reconhece que uma atividade é inofensiva, ela pode ser proibida com base na alegação de que "leva" a algo muito pior (outra manifestação da teoria do dominó). Já foram construídos grandes e poderosos edifícios com base nesses fantasmas. Geralmente, o surto de um pânico moral é precedido por uma intensificação desse tipo de culpabilização.

Fazer profecias é sempre arriscado. Não é necessário, porém, ter uma intuição tão afiada para detectar pânicos morais em potencial em dois processos que se desenvolvem atualmente: os ataques aos sadomasoquistas por um segmento do movimento feminista e a utilização crescente da Aids pela direita para incitar uma virulenta homofobia.

Sempre existiu, na ideologia feminista antipornografia, uma condenação implícita, e algumas vezes explícita, ao sadomasoquismo.[45] As imagens de sexo oral e penetração que compõem grande parte da pornografia podem ser aflitivas para quem não está familiarizado com elas, mas é difícil argumentar convincentemente que essas imagens são violentas. As primeiras propagandas antipornografia recorriam a uma amostra altamente seletiva da iconografia sadomasoquista para respaldar uma análise bastante precária. Fora de contexto, tais imagens costumam ser chocantes, o que foi impiedosamente explorado para assustar o público, fazendo-o aceitar a perspectiva antipornografia. O uso da iconografia sadomasoquista no discurso antipornografia é inflamatório. Ele implica que a maneira de tornar o mundo seguro para as mulheres é acabar com o sadomasoquismo.

Grande parte da propaganda antipornografia implica que o sadomasoquismo é a "verdade" subjacente e essencial à qual tende toda a pornografia. Acredita-se que a pornografia é uma porta de entrada para a pornografia sadomasoquista, que, por sua vez, levaria supostamente ao estupro. Temos aqui uma encarnação da ideia de que os pervertidos sexuais, e não as pessoas normais, cometem crimes sexuais. Não há indícios de que leitores de publicações de arte erótica sadomasoquista ou praticantes do sadomasoquismo cometam um número desproporcional de crimes sexuais. A literatura

---

45. Ver Spooner 1977: 25-29. Ao argumentar que está tentando proteger mulheres e crianças da violência, o discurso feminista antipornografia se encaixa perfeitamente na tradição de recorrer a justificativas com base em um controle moral.

antipornografia culpabiliza uma minoria sexual impopular e os materiais que leem por problemas sociais que eles não criam. A retórica feminista tem uma incômoda tendência a ressurgir em contextos reacionários. Por exemplo, em 1980 e 1981, o papa João Paulo II fez uma série de pronunciamentos reafirmando seu compromisso com os pontos de vista mais conservadores e paulinos da sexualidade humana. Ao condenar o divórcio, o aborto, o concubinato, a pornografia, a prostituição, o controle de natalidade, o hedonismo desenfreado e a luxúria, o papa utilizou muito da retórica feminista sobre a objetificação sexual. Em um tom similar ao da feminista lésbica Julia Penelope, polemista contumaz, sua santidade explicou que "contemplar alguém de modo lascivo transforma a pessoa em objeto sexual, e não em um ser humano merecedor de dignidade".[46]

A direita se opõe à pornografia e já adotou elementos da retórica feminista antipornografia. O discurso contra o sadomasoquismo desenvolvido no movimento de mulheres poderia facilmente se tornar veículo de uma caça moralista às bruxas. Ele mira em uma população indefesa, pronta para virar alvo, e oferece uma base lógica para reiterar a criminalização de materiais sexuais que escaparam do alcance das leis atuais de obscenidade. Seria especialmente fácil aprovar leis contra as publicações de arte erótica sadomasoquista semelhantes às leis contra a pornografia infantil. Justifica-se essas leis com base no argumento de que elas protegem os indivíduos de uma violência real ou potencial. O propósito ostensivo de novas leis contra a iconografia sadomasoquista seria reduzir a violência por meio da proibição da chamada pornografia violenta. Uma campanha focada na ameaça da comunidade *leather* talvez resulte também na aprovação de uma legislação que criminalize o comportamento sadomasoquista, que atualmente não é ilegal. O resultado último desse pânico moral seria a legalização da violação de uma comunidade inofensiva de pervertidos. O argumento de que uma caça às bruxas como essa poderia contribuir para reduzir a violência contra as mulheres é bastante duvidoso.

---

46. "Pope's Talk on Sexual Spontaneity" [Papa se pronuncia sobre a espontaneidade sexual], *San Francisco Chronicle*, 13 nov. 1980, p. 8. Ver também Foucault [1976] 1999: 106-07. Julia Penelope afirma que "não precisamos de nada que se rotule como puramente sexual" e que "a fantasia, como aspecto da sexualidade, pode ser uma necessidade falocêntrica, da qual ainda não estamos livres" (1980: 103).

O pânico à Aids é ainda mais provável. Quando o medo de doenças incuráveis se mistura com o terror sexual, o resultado é extremamente volátil. Há um século, tentativas de controlar a sífilis motivaram a aprovação das Leis sobre Doenças Contagiosas na Inglaterra. Essas leis se baseavam em teorias médicas errôneas, e de nada serviram para deter o avanço da doença. O que fizeram foi tornar a vida miserável para centenas de mulheres que foram encarceradas, submetidas a exame vaginal forçado e estigmatizadas como prostitutas para o resto da vida.[47]

O que quer que aconteça, a Aids terá consequências de amplo alcance sobre o sexo em geral, e sobre a homossexualidade em particular. A doença terá um impacto significativo nas decisões tomadas por homossexuais. A migração para as Mecas gays diminuirá por medo da doença. Quem já residir nos guetos vai evitar situações consideradas arriscadas. A economia gay e o aparato político financiado por ela talvez se mostrem efêmeros. O medo da Aids já afetou a ideologia sexual. Justo no momento em que as pessoas gays tinham tido algum sucesso para se livrar do estigma da doença mental, elas se veem metaforicamente fundidas a uma imagem de deterioração física letal. A síndrome, suas qualidades peculiares e sua transmissibilidade estão sendo usadas para reforçar antigos medos de que a atividade sexual, a homossexualidade e a promiscuidade levem a doenças e à morte.

A Aids é ao mesmo tempo uma tragédia pessoal para aqueles que contraem a síndrome e uma calamidade para a comunidade gay. Os homofóbicos se apressaram alegremente em usar essa tragédia contra suas vítimas. Um colunista sugeriu que a Aids sempre existiu, que as proibições bíblicas da sodomia buscavam proteger as pessoas da Aids, e que a síndrome, portanto, é um castigo apropriado pela violação dos códigos levíticos. Usando como lógica o medo do contágio, direitistas de Reno, Nevada, tentaram proibir o rodeio gay da cidade. Uma edição recente do relatório da Moral Majority trouxe a imagem de uma "típica" família branca de quatro pessoas usando máscaras cirúrgicas. A manchete dizia: "Aids: doenças homossexuais ameaçam as famílias norte-americanas".[48] Phyllis Schlafly

---

47. Ver especialmente Walkowitz 1980 e Weeks 1981.
48. *Moral Majority Report*, jul. 1983. Sou grata a Allan Bérubé por ter chamado minha atenção para essa imagem.

publicou recentemente um livro argumentando que a aprovação da Emenda da Igualdade de Direitos impossibilitaria que "nos protejamos legalmente contra a Aids e outras doenças dos homossexuais" (apud Bush 1983: 60). A atual literatura da direita defende o fechamento das saunas gays, a proibição legal da contratação de homossexuais em trabalhos que envolvam a manipulação de alimentos, e mandatos, em nível estadual, proibindo a doação de sangue por pessoas gays. Levar adiante essas políticas exigiria que o governo identificasse todos os homossexuais e impusesse a eles marcadores legais e sociais facilmente reconhecíveis. Já é ruim o suficiente que a comunidade gay tenha de enfrentar o infortúnio médico de ter sido a população na qual uma doença fatal começou a se difundir e se fez visível.

É pior ainda ter que lidar também com as consequências sociais. Mesmo antes de o alarme em relação à Aids ser disparado, a Grécia aprovou uma lei que autoriza a polícia a prender supostos homossexuais e forçá-los a se submeter a uma série de exames para detectar doenças venéreas. Até que a Aids e suas formas de transmissão sejam compreendidas, é provável que surja todo tipo de proposta para controlá-la, punindo a comunidade gay e atacando suas instituições. Quando a causa da legionelose era desconhecida, ninguém exigiu que os membros da Legião Americana ficassem em quarentena ou fechassem seus locais de reunião. Na Inglaterra, as Leis sobre Doenças Contagiosas pouco fizeram para controlar a sífilis, mas causaram grande sofrimento às mulheres sob sua alçada. A história do pânico que acompanhou as novas epidemias assim como a culpabilização a que suas vítimas foram submetidas deveriam fazer com que todos nós parássemos para refletir e considerássemos com extremo ceticismo qualquer tentativa de justificar iniciativas de políticas públicas antigay baseadas na Aids.[49]

---

49. A literatura sobre a Aids e suas consequências sociais se multiplicou desde a publicação original deste ensaio. Alguns dos textos importantes a respeito são Crimp 1988; Crimp & Rolston 1990; Fee & Fox 1988; Patton 1985, 1990; Watney 1987; Carter & Watney 1989; Boffin & Gupta 1990; Kinsella 1989.

Os limites do feminismo

Sabemos que, em um número extraordinário de casos, o crime sexual está associado à pornografia. Sabemos que os criminosos sexuais a leem e são claramente influenciados por ela. Acredito que se conseguíssemos eliminar a distribuição de tais itens às crianças, que se deixam impressionar facilmente, reduziríamos consideravelmente nossas assustadoras estatísticas de crimes sexuais.

J. EDGAR HOOVER, citado em Hyde, *A History of Pornography*.

Na ausência de uma teoria radical do sexo mais articulada, muitas pessoas ligadas ao progressismo se voltaram ao feminismo em busca de referências. Mas a relação entre feminismo e sexo é complexa. Como a sexualidade é um nexo das relações entre os gêneros, uma parte importante da opressão sofrida pelas mulheres é sustentada, mediada e constituída pela sexualidade. O feminismo sempre mostrou um interesse vital pelo sexo. Duas linhas de pensamento feminista sobre a questão, no entanto, se destacam. Uma tendência tem criticado as restrições impostas ao comportamento sexual das mulheres e denunciado os altos custos impostos a elas por serem sexualmente ativas. Essa tradição do pensamento sexual feminista tem defendido uma liberação sexual cujo alcance beneficiaria mulheres e homens. A segunda tendência tem considerado a liberalização sexual mera extensão do privilégio masculino. Essa tradição ressoa com discursos conservadores e antissexuais. Com o advento do movimento antipornografia, ela adquiriu uma hegemonia temporária na análise feminista.

O movimento antipornografia e seus textos têm sido a expressão mais ampla desse discurso.[50] Além disso, defensores desse ponto de vista condenaram praticamente todas as variantes de expressão sexual, tachando-as de antifeministas. Dentro desse quadro, o lesbianismo monogâmico que ocorre em relações íntimas de longo prazo, e que não envolvem a polarização de papéis, substituiu o casamento heterossexual procriador como ponto mais alto da hierarquia de valores. A heterossexualidade foi relegada a uma

---

50. Ver, por exemplo, Lederer 1980; Dworkin 1981. O *Newspage* das Mulheres de São Francisco contra a violência na pornografia e na mídia e o *Newsreport* das Mulheres de Nova York contra a pornografia são fontes excelentes.

zona intermediária. Fora essa mudança, tudo permanece mais ou menos igual. Os níveis mais inferiores da hierarquia são ocupados por grupos e comportamentos usuais: prostituição, transexualidade, sadomasoquismo e relações intergeracionais (Barry 1979, 1982; Raymond 1979; Linden, Pagano, Russell & Starr 1982; Rush 1980). A maior parte da conduta gay masculina, todo tipo de sexo casual, a promiscuidade e o comportamento lésbico não monogâmico – ou que envolva papéis ou costumes atípicos – também são censurados.[51] Até mesmo ter fantasias sexuais durante a masturbação é denunciado como decorrente da insistência de um falocentrismo (Penelope 1980). Esse discurso sobre a sexualidade é menos uma sexologia que uma demonologia. Ele apresenta da pior forma possível a maioria dos comportamentos sexuais. Suas descrições da conduta erótica sempre usam os piores exemplos disponíveis como se fossem representativos. Eles mostram a pornografia mais desagradável, as formas mais aproveitadoras de prostituição e as menos palatáveis ou mais chocantes manifestações de variação sexual. Essa tática retórica deturpa de forma consistente a sexualidade humana em todas as suas formas. A imagem de sexualidade humana que emerge dessa literatura é sempre feia.

Além disso, essa retórica antipornografia é uma caça massiva a bodes expiatórios. Ela critica atos não rotineiros de amor, e não atos rotineiros de opressão, exploração ou violência. Essa sexologia demoníaca direciona a ira legítima provocada pela falta de segurança pessoal das mulheres contra indivíduos, práticas e comunidades inocentes. A propaganda antipornografia muitas vezes implica que o sexismo se origina na indústria do sexo, propagando-se subsequentemente no resto da sociedade. Sociologicamente falando, essa ideia é absurda. A indústria do sexo faz parte de uma sociedade sexista e reflete o sexismo que existe na cultura da qual

---

51. "Por outro lado, existe uma cultura patriarcal homossexual, uma cultura criada por homens homossexuais que reflete estereótipos masculinos, por exemplo a dominação e a submissão, como modos de relação, e a separação entre o sexo e o envolvimento emocional – uma cultura marcada por um ódio profundo às mulheres. A cultura masculina 'gay' ofereceu às lésbicas a imitação dos papéis estereotipados de 'caminhoneira' e 'feminina', 'ativa' e 'passiva', adeptas da pegação e do sadomasoquismo, além do mundo violento e autodestrutivo dos 'bares gays')." (A. Rich 1979: 225). B. Rich 1983; Pasternak 1983; Gearhart 1979.

faz parte. A indústria do sexo certamente não é nenhuma utopia feminista. Precisamos analisar e nos opor às manifestações de desigualdade de gênero específicas da indústria do sexo. Mas isso não é o mesmo que tentar acabar com o sexo comercial ou culpá-lo por todos os males que afetam as mulheres.

Do mesmo medo, as minorias eróticas, como sadomasoquistas e transexuais, são tão propensas a ter atitudes ou comportamentos sexistas quanto qualquer outro agrupamento social politicamente aleatório. Mas alegar que são inerentemente antifeministas é pura fantasia. Boa parte da literatura feminista atual atribui a opressão da mulher a representações explícitas do sexo, prostituição, educação sexual, sadomasoquismo, homossexualidade masculina e transexualidade. O que aconteceu com a família, a religião, a educação, as práticas de criação dos filhos, os meios de comunicação, o Estado, a psiquiatria, a discriminação no trabalho e a desigualdade salarial?

Por fim, esse chamado discurso feminista recria uma moralidade sexual muito conservadora. Durante mais de um século, foram travados conflitos a respeito do preço que se deveria pagar pela vergonha, dor e castigo associados à atividade sexual. A tradição conservadora promoveu a oposição a pornografia, prostituição, homossexualidade, toda variação erótica, educação sexual, pesquisas sobre o sexo, aborto e contracepção. A tradição oposta, pró--sexo, inclui indivíduos como Havelock Ellis, Magnus Hirschfeld, Alfred Kinsey e Victoria Woodhull, assim como o movimento pela educação sexual, organizações militantes de prostitutas e homossexuais, o movimento pelos direitos reprodutivos e organizações como a Liga pela Reforma Sexual da década de 1960. Essa variada coleção de reformistas do sexo, educadores sexuais e militantes sexuais tem concepções confusas sobre matérias sexuais e feministas, mas com certeza está mais próxima do espírito do feminismo moderno que dos defensores da moral, do movimento pela pureza social e das organizações antivício. Apesar disso, a atual demonologia sexual do feminismo costuma cultuar os ativistas antivício, ao mesmo tempo que condena a tradição mais libertária sob a alegação de antifeminismo. Em um ensaio que ilustra algumas dessas tendências, Sheila Jeffreys 1985 culpa Havelock Ellis, Edward Carpenter e Alexandra Kollantai, "crentes no prazer do sexo, independentemente da tendência política", e o congresso de

1929 da Liga Mundial pela Reforma Sexual por terem "contribuído enormemente para a derrota do feminismo militante".[52]

O movimento antipornografia e seus avatares alegam falar em nome de todo o feminismo. Eles, felizmente, não falam. A liberação sexual foi e ainda é um dos objetivos do feminismo. Ainda que o movimento de mulheres tenha produzido parte do pensamento sexual mais retrógrado para além do Vaticano, ele também elaborou uma defesa estimulante, clara e inovadora do prazer sexual e da justiça erótica. Esse feminismo "pró-sexo" tem sido liderado sobretudo por lésbicas cuja sexualidade não se conforma aos convencionalismos de pureza do movimento (principalmente lésbicas sadomasoquistas e lésbicas do modelo caminhoneira/feminina), por heterossexuais que não fazem apologia de sua orientação e por mulheres partidárias do feminismo radical, e não das celebrações revisionistas da feminilidade que se tornaram tão comuns.[53] Apesar das forças antipornografia terem tentado excluir do movimento qualquer pessoa que esteja em desacordo com elas, é fato que o pensamento feminista sobre o sexo continua sendo profundamente polarizado (Orlando 1982; Willis 1982).

Onde quer que haja polaridade, há uma tendência infeliz a pensar que a verdade está em um meio-termo. Ellen Willis afirmou sarcasticamente que "a tendência feminista é achar que as mulheres são iguais aos homens, e a tendência machista masculina é achar que as mulheres são inferiores. Uma perspectiva imparcial diria que a verdade está em algum meio-termo" (Willis 1982: 146).[54] A última novidade nas guerras sexuais feministas é o surgimento de um "meio-termo" que busque evitar os perigos do fascismo antipornografia, por um lado, e um suposto "vale tudo"

---

52. Ver sobretudo o cap. 7, "Antifeminism and Sex Reform before the First World War" e o cap. 8, "The Decline of Militant Feminism". Uma elaboração mais recente dessa tendência está disponível em Pasternak 1983.

53. Ver Califia 1980a,b,c,d,e, 1981b, 1982a, 1983a,b,c; English, Hollibaugh & Rubin 1981; Hollibaugh 1983; Holz 1983; O'Dair 1983; Orlando 1982; Russ 1982; Samois 1979, 1982; Sundhal 1983; Wechsler 1981a; b; Willis 1981. Uma excelente visão global da história dos deslocamentos ideológicos no feminismo que afetaram os debates sexuais está disponível em Echols 1983. [O termo *pró-sexo* não me agrada particularmente, embora eu costume recorrer a ele por falta de um melhor. O grupo de ativistas e pensadores reunidos sob esse rótulo não é acrítico quanto ao sexo ou a questões de poder social envolvidas na sexualidade.]

54. Sou grata a Jeanne Bergman por ter chamado minha atenção para essa citação.

libertário, por outro.[55] Mesmo que seja difícil criticar uma posição que ainda não está totalmente elaborada, quero apontar alguns problemas incipientes.[56]

O surgimento da ideia de um meio-termo se baseia em uma caracterização falsa dos polos do debate, construindo ambos os lados como igualmente extremistas. De acordo com B. Ruby Rich, "o desejo de desenvolver uma linguagem da sexualidade levou as feministas a lugares (pornografia, sadomasoquismo) limitados e sobredeterminados demais para que se tenha uma discussão profícua. O debate virou confronto" (Rich 1983: 76). É verdade que os embates entre as Mulheres Contra a Pornografia (Women Against Pornography, WAP) e as lésbicas sadomasoquistas se assemelham a lutas de gangues. Mas a responsabilidade por isso é sobretudo do movimento antipornografia e de sua recusa em debater de forma razoável. As lésbicas sadomasoquistas têm sido forçadas a lutar para defender seu pertencimento ao movimento e a se proteger de calúnias. Nenhuma das porta-vozes do sadomasoquismo lésbico afirmou a existência de qualquer tipo de supremacia sado-

---

55. Ver, por exemplo, Benjamin 1983: 297; Rich 1983.

56. As designações "feminismo libertário" e "libertário sexual" continuam a ser aplicadas às radicais feministas do sexo. A denominação é errônea e enganadora. É verdade que o Partido Libertário é contra o controle do comportamento sexual consensual pelo Estado. Concordamos quanto ao caráter nocivo da atuação do Estado nessa área, e considero o programa Libertário de revogação de maior parte da legislação sobre o sexo superior ao de quaisquer outros partidos políticos organizados. Nossas convergências, no entanto, terminam aí. As radicais feministas do sexo se baseiam em conceitos de desigualdades sistêmicas, socialmente estruturadas, e em poderes diferenciais. Nesta análise, a regulamentação do sexo pelo Estado é parte de um sistema mais complexo de opressão que ela reflete, reforça e influencia. O Estado também desenvolve suas próprias estruturas de interesses, poderes e investimentos na regulamentação do sexo. Como expliquei neste ensaio e em outras ocasiões, o conceito de consentimento exerce um papel diferente na legislação sobre o sexo do que exerce no contrato social ou em um acordo salarial. As qualidades, a quantidade e a importância da intervenção e da regulamentação do comportamento sexual por parte do Estado precisam ser analisadas em contexto, e não podem ser equiparadas grosseiramente a análises provenientes da teoria econômica. Determinadas liberdades básicas que são dadas por certo em outras áreas da vida não existem no que diz respeito ao sexo. As que realmente existem não estão disponíveis em condições de igualdade aos membros de diferentes populações sexuais, e são aplicadas de forma diferente a várias atividades sexuais.

masoquista, nem defendeu que todo mundo deveria ser sadomasoquista. Além de defenderem a si próprias, as lésbicas sadomasoquistas reivindicaram o reconhecimento da diversidade erótica e uma discussão mais aberta sobre sexualidade (Samois 1979, 1982; Califia 1980a, 1981a). Tentar encontrar um meio-termo entre as WAP [Mulheres Contra a Pornografia] e Samois [organização lésbica/feminista sadomasoquista] é um pouco como dizer que a verdade sobre a homossexualidade está em um meio-termo entre as posições da Moral Majority e as do movimento gay.

Na vida política, é sempre muito fácil marginalizar os radicais e tentar transparecer uma posição moderada ao retratar os outros como extremistas. Os liberais fizeram isso por anos com os comunistas. As militantes sexuais radicais abriram os debates sobre o sexo. É vergonhoso negar sua contribuição, desvirtuar suas posições e reforçar sua estigmatização.

Diferentemente das feministas culturais, que só querem excluir as dissidentes, as moderadas estão dispostas a defender os direitos das não conformistas eróticas à participação política. No entanto, essa defesa de direitos políticos se vincula a um sistema implícito de condescendência ideológica.[57] A argumentação tem duas partes principais. A primeira é uma acusação feita a dissidentes sexuais por não prestarem atenção suficiente ao significado, às fontes e à construção histórica de sua sexualidade. O funcionamento dessa ênfase no significado parece se assemelhar ao da questão da etiologia nas discussões sobre a homossexualidade, ou seja, a homossexualidade, o sadomasoquismo, a prostituição e as relações intergeracionais são considerados misteriosos ou problemáticos, contrastando com as sexualidades mais respeitáveis. A busca por uma causa equivale a uma busca por uma mudança que simplesmente coloque um ponto final nesses erotismos "problemáticos". A reação de alguns militantes sexuais a esses exercícios foi dizer que, embora a questão da etiologia ou da causa seja de interesse intelectual, ela não é prioridade na agenda política, e

---

57. A expressão ideologicamente condescendente de que eu mais gosto diz assim: "Os sadomasoquistas não são totalmente desprovidos de 'valores', mas têm resistido a quaisquer valores, para além do julgamento de outras pessoas, que possam limitar sua liberdade; nisso revelam que não compreendem os requisitos da vida em comum" (Phelan 1989: 133).

Pensando o sexo **119**

que, além disso, privilegiar essas questões é em si uma opção política retrógrada.

A segunda parte da posição "moderada" está centrada em questões de consentimento. Radicais sexuais de todo tipo têm exigido a legitimação legal e social do comportamento sexual consentido. Feministas os criticam pela ostensiva artificialidade no modo como abordam questões relativas ao "limite do consentimento" e as "restrições estruturais" ao consentimento (Orlando 1983; E. Wilson 1983: 35-41, especialmente). Apesar dos graves problemas presentes no discurso político do consentimento, e apesar de certamente haver restrições estruturais à escolha sexual, essas críticas têm sido sistematicamente mal aplicadas nos debates sobre o sexo. Elas não levam em conta o conteúdo semântico altamente específico do consentimento na legislação sobre o sexo e na prática sexual.

Como mencionei acima, grande parte da legislação sobre o sexo não distingue entre comportamentos consensuais e comportamentos coercitivos. Somente a legislação do estupro contém essa distinção. A legislação do estupro se baseia no pressuposto – correto, do meu ponto de vista – de que a atividade heterossexual pode ser livremente escolhida ou imposta de forma coercitiva. As pessoas têm, por lei, o direito a exercer um comportamento heterossexual, desde que este não caia na alçada de outros estatutos, e desde que exista um acordo mútuo a respeito.

O caso da maior parte da legislação sobre os outros atos sexuais é diferente. As leis sobre sodomia, como mencionei anteriormente, são baseadas no pressuposto de que os atos proibidos são "um crime abominável e detestável contra a natureza". Supõe-se que a criminalidade é intrínseca aos atos, independentemente dos desejos dos participantes. "Diferentemente do estupro, a sodomia ou outros atos sexuais não naturais e pervertidos podem ser realizados entre duas pessoas com o consentimento de ambas e, qualquer que seja o agressor, ambas podem ser processadas.[58] Antes da aprovação do estatuto do consentimento adulto na Califórnia, em 1976, amantes lésbicas podiam ser processadas pela prática de cópula oral. Se ambas as parceiras tinham capacidade

---

58. *Taylor contra o Estado*, 214 Md. 156, 165, 133 A. 2d 414, 418. Essa citação é de uma opinião contrária, mas afirma a lei predominante.

para consentir, ambas eram consideradas igualmente culpadas" (Beserra, Jewel, Matthews & Gatov 1973: 163-65).

As leis sobre o incesto entre adultos operam de forma similar. Ao contrário do que se acredita popularmente, essas leis têm pouco a ver com a proteção de crianças contra o estupro por parentes próximos. Os processos são raros, mas dois apareceram recentemente na imprensa. Em 1979, um oficial da Marinha de dezenove anos veio a conhecer a mãe, de 42 anos, de quem havia sido separado no nascimento. Os dois se apaixonaram e se casaram. Posteriormente, foram autuados e considerados culpados pelo crime de incesto, o que na lei da Virgínia pode levar a uma sentença máxima de dez anos. Durante o julgamento, o oficial testemunhou: "Eu a amo muito. Eu acho que duas pessoas que se amam deveriam poder viver juntas".[59] Em outro caso, um irmão e uma irmã que cresceram separados se conheceram e decidiram se casar. Eles foram presos, declarados culpados por crime de incesto e colocados em liberdade condicional. Uma das condições da liberdade condicional era que eles não vivessem juntos como marido e mulher. Se não tivessem aceitado, poderiam ter sido condenados a vinte anos de cadeia (Norton 1981: 18).

Em um famoso caso de sadomasoquismo, um homem foi declarado culpado de agressão com circunstâncias agravantes pelo uso de chicote em uma sessão de sadomasoquismo. Nenhuma vítima havia prestado queixa. A sessão tinha sido filmada e ele foi processado com base nas imagens. O homem entrou com um recurso contra a condenação argumentando que aquele tinha sido um encontro sexual consensual, e que ele não tinha agredido ninguém. Ao rejeitar seu recurso, o tribunal declarou que ninguém deve consentir com agressão ou assédio, "exceto em uma situação que envolva contato físico ordinário ou pancadas incidentais em esportes como futebol americano, boxe ou luta greco-romana".[60] O tribunal notou ainda que "o consentimento de uma pessoa sem capacidade legal para outorgá-lo, como uma criança ou uma pessoa louca, não é válido", e que "todos sabemos que uma pessoa normal, em pleno gozo de suas faculdades mentais, não consentiria livremente ao uso, em si mesma, de uma força propensa a lhe causar

---

59. "Marine and Mom Guilty of Incest" [Oficial da Marinha e mãe culpados de incesto], *San Francisco Chronicle*, 16 nov. 1979, p. 16.

60. *O povo contra Samuels*, 250 Cal. App. 2d 501, 513, 58 Cal. Rptr. 439, 447 (1967).

graves lesões corporais".[61] Por esse motivo, qualquer pessoa que consinta em ser chicoteada seria considerada *non compos mentis* e, portanto, legalmente incapaz de consentir. O sexo sadomasoquista geralmente envolve um grau muito menor de força do que um jogo de futebol americano, e resulta em bem menos lesões que a maioria dos esportes. O tribunal, no entanto, declarou a sanidade dos jogadores de futebol americano e a insanidade dos masoquistas.

As leis de sodomia, as leis do incesto adulto e as interpretações legais como as que acabamos de ver se intrometem claramente em comportamentos consensuais e impõem penalidades criminais a eles. Na lei, o consentimento é um privilégio do qual desfrutam apenas os que se envolvem em comportamentos sexuais do topo da hierarquia. Aqueles que praticam comportamentos sexuais de baixo status não têm o direito legal de fazê-lo. Além disso, sanções econômicas, pressões familiares, estigmatização erótica, discriminação social, ideologia negativa e falta de informações sobre comportamentos eróticos servem todos para dificultar opções sexuais não convencionais. Existem certamente restrições estruturais à livre escolha sexual, mas o mesmo não vale para dizer que uma pessoa poderia sofrer coerção para ser pervertida. Pelo contrário, essas restrições operam para que todos se conformem à normalidade.

A teoria da "lavagem cerebral" explica a diversidade erótica ao assumir que alguns atos sexuais são tão desagradáveis que ninguém os praticaria por vontade própria. Consequentemente, se seguirmos esse raciocínio, qualquer um que os tenha praticado deve ter sido obrigado ou enganado. Mesmo a teoria sexual construtivista foi pressionada a explicar por que indivíduos que em outras circunstâncias são considerados racionais podem ter comportamentos sexuais não convencionais. Outra posição que ainda não está plenamente elaborada utiliza as ideias de Foucault e Weeks para argumentar que as "perversões" são um aspecto especialmente desagradável e problemático da construção da sexualidade moderna (Valverde 1980; Wilson 1983: 83). Trata-se de outra variante da ideia de que os dissidentes sexuais são vítimas de maquinações sutis do sistema social. Weeks e Foucault não concordariam com essa interpretação, visto que consideram toda sexualidade construída, tanto a convencional quanto a desviante.

---

61. *O povo contra Samuels*, 250 Cal. App. 2d. at 513-514, 58 Cal. Rptr. at 447.

A psicologia é o recurso último daqueles que se recusam a reconhecer que os dissidentes sexuais são tão conscientes e livres quanto qualquer outro grupo de atores sexuais. Se os desviantes não seguem as manipulações do sistema social, talvez sua escolha incompreensível tenha se originado em uma infância ruim, em uma socialização malsucedida ou em uma formação inadequada de identidade. Em seu ensaio sobre a dominação erótica, Jessica Benjamin recorre à psicanálise e à filosofia para explicar por que o que ela chama de "sadomasoquismo" é uma atividade alienada, distorcida, insatisfatória, insensível e despropositada, além de uma tentativa "de aliviar o fracasso de um esforço passado de diferenciação" (Benjamin 1983: 292, e também 286, 291-97). O ensaio de Benjamin substitui formas mais comuns de desvalorizar o erotismo dissidente pela atribuição de uma inferioridade psicofilosófica. Um comentador chegou a observar que esse argumento coloca o sadomasoquismo como mera "repetição obsessiva da luta infantil por poder" (Ehrenreich 1983: 247).

A posição que defende os direitos políticos dos pervertidos, mas que busca compreender sua sexualidade "alienada", é certamente preferível quando comparada à dos banhos de sangue ao estilo das WAP. Mas a maioria dos moderados sexuais não conseguiu lidar com seu desconforto diante de opções eróticas diferentes das suas. Adornos marxistas, teorias construtivistas sofisticadas e psico-blá-blá-blás retrógrados não servem para redimir o chauvinismo erótico.

Qualquer que seja a posição feminista adotada diante da sexualidade – direita, esquerda ou centro – eventualmente predominante, a existência de uma discussão tão rica é um indício de que o movimento feminista sempre será uma fonte de pensamentos interessantes sobre o sexo. Mesmo assim, quero questionar o pressuposto de que o feminismo é ou deveria ser o lugar privilegiado de uma teoria da sexualidade. O feminismo é a teoria da opressão de gênero. Supor automaticamente que isso faz com que ele seja a teoria da opressão sexual é deixar de distinguir gênero, de um lado, e desejo erótico, de outro.

Na língua inglesa, a palavra "sexo" tem dois significados diferentes. Significa corpos diferenciados pela anatomia reprodutiva, e gênero e identidade de gênero, como quando dizemos "sexo feminino" e "sexo masculino". Mas sexo também se refere à atividade sexual, ao desejo sexual, à penetração e à excitação, como na expressão "fazer sexo". Essa mistura semântica reflete o pressuposto cultural de que a sexualidade é redutível à penetração sexual, e de que essa é uma função das relações entre mulheres e homens. A fusão cultural entre gênero e sexualidade deu origem à ideia de que uma teoria da sexualidade pode derivar diretamente de uma teoria do gênero. No ensaio anterior, "O tráfico de mulheres", utilizei o conceito de sistema de sexo/gênero, definido como uma "uma série de arranjos por meio dos quais uma sociedade transforma a sexualidade biológica em produtos da atividade humana" (p. 11 *supra*). Argumentei que o "sexo, tal como o conhecemos – a identidade de gênero, o desejo e a fantasia sexuais, as concepções de infância – é em si um produto social" (p. 18 *supra*). Nesse ensaio, não fiz distinção entre o desejo sexual e o gênero, tratando ambos como modalidades do mesmo processo social subjacente.

"O tráfico de mulheres" foi inspirado na literatura sobre sistemas de organização social baseados no parentesco. Na época, o gênero e o desejo me pareciam estar sistematicamente entrelaçados nessas formações sociais. Essa pode ou não ser uma avaliação acertada da relação entre sexo e gênero em organizações tribais. Mas certamente não é uma formulação adequada para tratar da sexualidade nas sociedades industriais ocidentais. Como mostrou Foucault, um sistema de sexualidade surgiu a partir das formas primeiras de parentesco, vindo a adquirir uma significativa autonomia:

> As sociedades ocidentais modernas inventaram e instalaram, sobretudo a partir do século XVIII, um novo dispositivo que se superpõe ao primeiro e que, sem o pôr de lado, contribui para reduzir sua importância. É o dispositivo de sexualidade [...]. Para o primeiro [aliança], o que é pertinente é o vínculo entre parceiros com *status* definido; para o segundo [sexualidade], são as sensações do corpo, a qualidade dos prazeres, a natureza das impressões [...]. (Foucault [1976] 1999: 106)

O desenvolvimento desse sistema sexual se produziu no contexto de relações de gênero historicamente específicas. Parte da ideologia moderna do sexo pressupõe que o desejo sexual é atributo do homem e que a pureza é atributo da mulher. Não é por acidente que a pornografia e as perversões são associadas ao domínio masculino. Na indústria do sexo, as mulheres foram excluídas da maior parte da produção e do consumo, permitindo-se a elas atuar sobretudo como funcionárias. Para poder participar das "perversões", as mulheres tiveram que superar sérias limitações de mobilidade social, recursos financeiros e liberdades sexuais. O gênero afeta o funcionamento do sistema sexual, e o sistema sexual já teve manifestações de gênero específicas. Mas, apesar do sexo e do gênero estarem relacionados, eles não são a mesma coisa, e formam a base de duas arenas distintas da prática social.

Diferentemente do que afirmei em "O tráfico de mulheres", argumento agora que é fundamental separar analiticamente gênero e sexualidade para refletir com mais precisão sobre as existências sociais distintas que eles envolvem. Isso se opõe a grande parte do pensamento feminista contemporâneo, que trata a sexualidade como derivação do gênero. A ideologia feminista lésbica, por exemplo, tem em grande parte analisado a opressão das lésbicas com base na opressão das mulheres. No entanto, as lésbicas também são oprimidas em sua qualidade de homossexuais e pervertidas, devido a uma operação de estratificação sexual, não de gênero. Apesar de ser incômodo para muitas lésbicas pensar sobre isso, o fato é que as lésbicas compartilham muitas características sociológicas e muitas das mesmas penalidades sociais que os homens gays, sadomasoquistas, travestis e prostitutas.

Catherine MacKinnon foi quem fez o mais explícito esforço de teorização para subsumir a sexualidade ao pensamento feminista. De acordo com MacKinnon, "a sexualidade é para o feminismo o que o trabalho é para o marxismo [...] a modelagem, direção e expressão da sexualidade organizam a sociedade em dois sexos, mulheres e homens" (MacKinnon 1982: 515-16). Essa estratégia analítica, por sua vez, baseia-se na decisão de "usar sexo e gênero como termos relativamente intercambiáveis" (Id. 1983: 635). É essa fusão de definições que pretendo questionar.[62]

A história da diferenciação entre o pensamento feminista contemporâneo e o marxismo traz uma analogia esclarecedora. O marxismo é provavelmente o mais flexível e poderoso sistema conceitual que existe para a análise da desigualdade social. As tentativas de fazer do marxismo o único sistema capaz de explicar

---

62. O trabalho de MacKinnon também gerou várias publicações. Ver MacKinnon 1987.

toda e qualquer desigualdade social, no entanto, fracassaram. O marxismo é mais bem-sucedido ao tratar das áreas da vida social em relação às quais foi desenvolvido a princípio – as relações de classe vigentes sob o capitalismo.

Nos primórdios do movimento contemporâneo de mulheres, houve um conflito teórico sobre a aplicabilidade do marxismo à estratificação de gênero. Como a teoria marxista é relativamente poderosa, ela de fato detecta aspectos importantes e interessantes da opressão de gênero, especialmente questões de gênero mais próximas da problemática de classe e organização do trabalho. Os temas mais específicos da estrutura social do gênero não são passíveis de análise marxista.

Ocorre algo semelhante com a relação entre o feminismo e as teorias radicais da opressão sexual. As ferramentas conceituais do feminismo foram elaboradas para detectar e analisar hierarquias baseadas no gênero. Na medida em que estas se sobrepõem às estratificações eróticas, a teoria feminista tem certo poder explicativo. Porém, na medida em que as questões se tornam menos de gênero e mais de sexualidade, a análise feminista se torna inexata e muitas vezes irrelevante. Simplesmente faltam no pensamento feminista pontos de vista capazes de dar conta da organização social da sexualidade. Os critérios de relevância do pensamento feminista não permitem que ele perceba ou determine as relações críticas de poder na área da sexualidade.

A longo prazo, a crítica feminista da hierarquia de gênero deve ser incorporada em uma teoria radical do sexo, e a crítica da opressão sexual deve enriquecer o feminismo. Mas uma teoria autônoma e políticas específicas devem ser desenvolvidas para a sexualidade.

É um erro substituir o marxismo pelo feminismo como palavra última da teoria social. O feminismo não é mais apto do que o marxismo para ser a explicação final e completa de todas as desigualdades sociais. Nem é uma teoria residual capaz de dar conta de tudo o que não foi tratado por Marx. Essas ferramentas críticas foram forjadas para lidar com atividades sociais muito específicas. Outras áreas da vida social, suas formas de poder e de opressão característica precisam de instrumentos conceituais próprios. Neste ensaio, defendi um pluralismo teórico, mas também sexual.

Conclusão

esses prazeres que irrefletidamente chamamos de físicos...
COLETTE, *Le Blé en Herbe*[63]

A sexualidade, assim como o gênero, é política. Ela está organizada em sistemas de poder que recompensam e incentivam alguns indivíduos e atividades, ao mesmo tempo que punem e suprimem outros. Assim como a organização capitalista do trabalho e o modo como ela distribui recompensas e atribui poderes, o sistema sexual moderno tem sido objeto de conflitos políticos desde que surgiu e ao longo de seu desenvolvimento. Mas, se as disputas entre o trabalho e o capital são confusas, os conflitos sexuais são totalmente velados.

A reforma jurídica realizada no fim do século XIX e nas primeiras décadas do século XX foi uma resposta ao surgimento do sistema erótico moderno. Durante aquele período, novas comunidades eróticas se formaram. Ser gay ou lésbica se tornou mais viável do que jamais tinha sido. Publicações de arte erótica foram produzidas e disponibilizadas em massa, e as possibilidades de comércio sexual se expandiram. As primeiras organizações em defesa dos direitos dos gays se formaram e as primeiras análises da opressão sexual foram articuladas (Steakley 1975; Lauritsen & Thorstad 1974).

A repressão exercida na década de 1950 foi em parte uma reação à expansão das comunidades e das possibilidades sexuais desenvolvida durante a Segunda Guerra Mundial (D'Emilio 1983, Bérubé 1981a,b). Durante a década de 1950, organizações de direitos dos gays foram fundadas, os relatórios Kinsey foram publicados, e a literatura lésbica floresceu. A década de 1950 foi um período de formação, assim como de repressão.

A atual contraofensiva de direita em relação ao sexo é em parte uma reação à liberação sexual da década de 1960 e início da década de 1970. Além do mais, ela provocou a formação de uma coalizão

---

63. Janet Flanner, na segunda página de sua introdução para *The Pure and the Impure* (1967), observa que esta frase, do livro *Le Blé en Herbe* (*The Ripening Seed*, na edição em inglês), teria sido originalmente o título escolhido por Colette para o livro.

unificada e consciente de radicais do sexo. De certa forma, o que está acontecendo hoje é o surgimento de um novo movimento sexual, atento a novas questões e em busca de um novo referencial teórico. As guerras sexuais que se deram nas ruas foram em parte responsáveis por estimular a renovação do interesse intelectual pela sexualidade. O sistema sexual está se transformando mais uma vez, e podemos notar vários sintomas de sua mudança.

Na cultura ocidental, o sexo é levado muito a sério. Ninguém é considerado imoral, preso ou expulso da família por gostar de comidas mais picantes. Mas pode passar por tudo isso e muito mais por gostar do couro de um sapato. No fim das contas, qual a importância social de alguém gostar de se masturbar em cima de um sapato? Pode até ser algo não consensual, mas já que não pedimos permissão ao sapato para calçá-lo, é improvável que precisemos pedir permissão para gozar em cima dele.

Se o sexo é levado muito a sério, não se lida com a perseguição sexual com a seriedade necessária. Indivíduos e comunidades são sistematicamente maltratados com base no gosto ou comportamento erótico. Fazer parte de diversas classes profissionais ligadas ao sexo pode levar a sérias penalidades. A sexualidade dos jovens é negada, a sexualidade adulta é frequentemente tratada como se fosse uma espécie de lixo nuclear, e as representações explícitas do sexo se dão em um verdadeiro lamaçal de circunlóquios jurídicos e sociais. Grupos específicos carregam o fardo do atual sistema de poder erótico, mas a perseguição a eles promove um sistema que afeta a todos.

A década de 1980 já tem sido um período de grande sofrimento sexual. Também tem sido um período de ebulição e novas possibilidades. É preciso que aqueles que se consideram progressistas reflitam sobre seus preconceitos, atualizem sua educação sexual e se familiarizem com a existência e o funcionamento da hierarquia sexual. Chegou a hora de reconhecermos as dimensões políticas da vida erótica.

BIBLIOGRAFIA GERAL

ALTHUSSER, Louis
[1964] 1985. "Freud e Lacan", in *Freud e Lacan, Marx e Freud*, trad. Walter José Evangelista. Rio de Janeiro: Graal. **[1968] 1979.** "De *O capital* à filosofia de Marx", in Althusser, Rancière e Macherey, *Ler O capital*, v. 1, trad. Nathanael C. Caixeiro. Rio de Janeiro: Zahar. **[1968] 1980.** "A história e as histórias, forma da individualidade histórica", in Althusser, Balibar e Establet, *Ler O capital*, v. 2, trad. Nathanael C. Caixeiro. Rio de Janeiro: Zahar

AMERICAN PSYCHIATRIC ASSOCIATION
1980. *Diagnostic and Statistical Manual of Mental Disorders*, 3ª ed.

BARKER-BENFIELD, G. J.
1976. *The Horrors of the Half-Known Life*. New York: Harper Colophon.

BARR, James
1950. *Quatrefoil*. New York: Greenberg.

BARRY, Kathleen
1979. *Female Sexual Slavery*. Nova Jersey: Prentice-Hall.
1982. "Sadomasochism: The New Backlash to Feminism". *Trivia* 1, outono.

BENJAMIN, Jessica
1983. "Master and Slave: The Fantasy of Erode Domination", in Ann Snitow, Christine Stansell, and Sharon Thompson (orgs.). *Powers of Desire: The Politics of Sexuality*. New York: Monthly Review Press.

BENNETT, Paula & Vernon A. ROSARIO (orgs.)
1995. *Solitary Pleasures: The Historical, Literary, and Artistic Discourses of Autoeroticism*. New York: Routledge.

BENSTON, Margaret
1969. "The Political Economy of Women's Liberation". *Monthly Review*, n. 4, v. 21, New York.

BERNDT, Ronald
1962. *Excess and Restraint*. Chicago: University of Chicago.

BÉRUBÉ, Allan
1981a. "Behind the Spectre of San Francisco". *Body Politic* 72, April.
1981b. "Marching to a Different Drummer". *Advocate*, 15 October
1983. "Coming Out Under Fire". *Mother Jones*, February-March.
1990. *Coming Out Under Fire*. New York: Free Press.

BESERRA, Sarah Senefeld, Nancy M. JEWEL, Melody West MATTHEWS & Elizabeth R. GATOV (orgs.)
1973. *Sex Code of California*. Sacramento: Public Education and Research Committee of California.
1980. "A Thorny Issue Splits a Movement". *Advocate*, 30 October.

BESERRA, Sarah Senefeld, Sterling G. FRANKLIN & Norma CLEVENGER (orgs.).
1977. *Sex Code of California.* Sacramento: Planned Parenthood Affiliates of California.

BINGHAM, Caroline
1971. "Seventeenth-Century Attitudes toward Deviant Sex". *Journal of Interdisciplinary History*, spring.

BLAND, Lucy & Laura DOAN
1998a. *Sexology in Culture: Labelling Bodies and Desires.* Chicago: University of Chicago Press. **1998b.** *Sexology Uncensored: The Documents of Sexual Science.* Chicago: University of Chicago Press.

BOFFIN, Tessa & Sunil GUPTA
1990. *Ecstatic Antibodies.* London: Rivers Oram.

BRESLIN, Jimmy
1981. Breslin, Jimmy. "The Moral Majority in your Motel Room." *San Francisco Chronicle*, v. 22, p. 41.

BROWN, Rhonda
1981. "Blueprint for a Moral America". *Nation*, 23 May.

BULMER, Ralph
1960. "Political Aspects of the Moka Ceremonial Exchange System among the Kyaka People of the Western Highlands of New Guinea". *Oceania*, n. 1, v. 31.

BUSH, Larry
1983. "Capitol Report", *Advocate*, v. 8, dec.

CALIFIA, Pat
1980a. "The Great Kiddy Porn Scare of '77 and Its Aftermath". *Advocate*, 16 October. **1980b.** "Feminism vs. Sex: A New Conservative Wave". *Advocate*, 21 February. **1980c.** "Among Us, Against Us–The New Puritans". *Advocate*, 17 April. **1980d.** *Sapphistry*. Tallahassee: Naiad. **1980e.** "A Thorny Issue Splits a Movement". *Advocate*, 30 October. **1981a.** "Feminism and Sadomasochism". *Co-Evolution Quarterly* 33, spring. **1981b.** "What Is Gay Liberation". *Advocate*, 25 June. **1982a.** "Public Sex". *Advocate*,

30 September. **1982b.** "Response to Dorchen Leidholdt". *New Women's Times*, October. **1983a.** "The Sex Industry". *Advocate*, 13 October. **1983b.** "Doing It Together: Gay Men, Lesbians, and Sex". *Advocate*, 7 July. **1983c.** "Gender-Bending". *Advocate*, 15 September.

CARTER, Erica & Simon WATNEY
1989. *Taking Liberties: AIDS and Cultural Politics.* London: Serpent's Tail.

CHASSEGUET-SMIRGEL, Janine
[1970] 1988. *Sexualidade feminina: uma abordagem psicanalítica contemporânea.* São Paulo: Artes Médicas, 1988.

CHAUNCEY, George Jr.
2004. *Why Marriage?: The History Shaping Today's Debate Over Gay Equality.* Cambridge: Basic Books.

CITY OF NEW YORK
1939. *Report of the Mayor's Committee for the Study of Sex Offences.* New York: City of New York.

COLETTE
1967. *The Pure and the Impure.* New York: Farrar, Straus, and Giroux.

COMMONWEALTH OF MASSACHUSETTS
1947. *Preliminary Report of the Special Commission Investigating the Prevalence of Sex Crimes.* House Report n. 1169. Boston: Wright and Potter.

COURTNEY, Phoebe
1969. *The Sex Education Racket: Pornography in the Schools (An Expose).* New Orleans: Free Men Speak.

CRIMP, Douglas
1988. *AIDS: Cultural Analysis, Cultural Activism 1987*; reprint, Cambridge: Massachusetts Institute of Technology Press.

CRIMP, Douglas & Adam ROLSTON
1990. *AIDS Demographics.* Seattle: Bay Press.

D'EMILIO, John
1981. "Gay Politics, Gay Community: The San Francisco Experience". *Socialist Review*, January-February. **1983.** *Sexual Politics, Sexual*

Communities: The Making of a Homosexual Minority in the United States, 1940-1970. Chicago: University of Chicago Press.

DALLA COSTA, Mariarosa
1972. *The Power of Women and the Subversion of the Community.* Bristol: Falling Wall.

DELANY, Samuel R.
1999. *Times Square Red, Times Square Blue.* New York: New York University Press.

DERRIDA, Jacques
[1967] 1995. "A estrutura, o signo e o jogo no discurso das Ciências Humanas", in *A escritura e a diferença*, trad. Maria Beatriz Marques Nizza da Silva. São Paulo: Perspectiva.

DEUTSCH, Helene
1948a. "On Female Homosexuality", in R. Fleiss (org.). *The Psychoanalytic Reader.* New York: International Universities Press. **1948b.** "The Significance of Masochism in the Mental Life of Women", in R. Fleiss (org.). *The Psychoanalytic Reader.* New York: International Universities Press.

DEVEREAUX, George
1937. "Institutionalized Homosexuality among Mohave Indians". *Human Biology*, n. 4, v. 9.

DOUGLAS, Mary
1963. *The Lele of Kasai.* London: Oxford University Press.

DRAKE, Gordon V.
1969. SIECUS: Corrupter of Youth. Tulsa: Christian Crusade.

DWORKIN, Andrea
1981. *Pornography: Men Possessing Women.* New York: Perigee.

ECHOLS, Alice
1983. "Cultural Feminism: Feminist Capitalism and the Anti-Pornography Movement". *Social Text* 7, spring-summer.

EECKHOUT, Bart
2001. "The Disneyfication of Times Square: Back to the Future?", in Kevin Fox Gotham (org.). *Critical Perspectives on Urban Redevelopment.* Oxford: Elsevier Science.

EHRENREICH, Barbara
1983. "What Is This Thing Called Sex". *Nation*, 24 September.

ELLIS, Havelock
1936. *Studies in the Psychology of Sex.* New York: Random House.

ENGELS, Friedrich
[1884] 1984. *A origem da família, da propriedade privada e do estado.* Rio de Janeiro: Civilização Brasileira.

ENGLISH, Deirdre, Amber HOLLIBAUGH & Gayle RUBIN
1981. "Talking Sex". *Socialist Review*, July-August.

EVANS-PRITCHARD, Edward Evan
1951. *Kinship and Montage Among the Nuer.* London: Oxford University Press. **1970.** "Sexual Inversion Among the Azande". *American Anthropologist*, n. 6, v. 72.

FEE, Elizabeth
1973. "The Sexual Politics of Victorian Social Anthropology". *Feminist Studies*, n. 3-4, v. 1, winter-spring.

FEE, Elizabeth & Daniel M. FOX
1988. *AIDS: The Burdens of History.* Berkeley: University of California Press. **1992.** *AIDS: The Making of a Chronic Disease.* Berkeley: University of California Press.

FLANNER, Janet
1967. *Introduction to* The Pure and the Impure, *by Colette.* New York: Farrar, Straus, and Giroux.

FORD, Clellen S. & Frank A. BEACH
1951. *Patterns of Sexual Behavior.* New York: Harper and Row.

FOUCAULT, Michel
[1966] 1987. *As palavras e as coisas: uma arqueologia das ciências humanas*, trad. S. T. Muchail. São Paulo: Martins Fontes. **[1976] 1999.** *A história da sexualidade* 1 – *A vontade de saber*, trad. M. T. da Costa Albuquerque e J. A. Guilhon Albuquerque. Rio de Janeiro: Graal.

FREEDMAN, Estelle
1983. "'Uncontrolled Desire': The

Threat of the Sexual Psychopath in America, 1935-1960". Annual Meeting of the American Historical Association, San Francisco, December. **1987**. "Uncontrolled Desires: The Response to the Sexual Psychopath, 1920-1960". *Journal of American History* 74, n. 1.

FREUD, Sigmund

[1917] 2014. *Obras completas* (v. 13): *Conferências introdutórias à psicanálise*, trad. Sergio Tellaroli. São Paulo: Companhia das Letras. **[1925] 2011.** "Algumas consequências psíquicas da diferença anatômica entre os sexos", in *Obras completas* (v. 16): *O eu e o id, "autobiografia" e outros textos*, trad. Paulo César de Souza. São Paulo: Companhia das Letras. **[1931] 2010.** "Sobre a sexualidade feminina", in *Obras completas* (v. 18): *O mal-estar na civilização, novas conferências introdutórias à psicanálise e outros textos*, trad. Paulo César de Souza. São Paulo: Companhia das Letras. **[1933] 2010.** "A feminilidade", in *Obras completas* (v. 18): *O mal-estar na civilização, novas conferências introdutórias à psicanálise e outros textos*, trad. Paulo César de Souza. São Paulo: Companhia das Letras.

GAGNON, John

1977. *Human Sexualities*. Glenview, Ill.: Scott, Foresman.

GARDINER, Jean

1974. "Political Economy of Female Labor in Capitalist Society". Conference on Sexual Divisions and Society. Belmont: British Sociological Association.

GEARHART, Sally

1979. "An Open Letter to the Voters in District 5 and San Francisco's Gay Community from Sally Gearhart". San Francisco: Lesbians and Gays with Kay. Leaflet. Collection of the Author.

GEBHARD, Paul H.

1976. "The Institute", in Marlin S. Weinberg (org.). *Sex Research: Studies from the Kinsey Institute*, 10-22. New York: Oxford University Press.

GERARD, Kent & Gert HEKMA (orgs.)

1989. *The Pursuit of Sodomy: Male Homosexuality in Renaissance and Enlightenment Europe*. New York: Haworth Press.

GERASSI, John

1966. *The Boys of Boise*. New York: Collier.

GERSTEIN, Ira

1973. "Domestic Work and Capitalism". *Radical America*, n. 4-5, v. 7, pp. 101-28.

GLASSE, R. M.

1971. "The Mask of Venery", in The Seventieth Annual Meeting of the American Anthropological Association. New York: American Anthropological Association.

GOODALE, Jane & Ann CHOWNING

1971. "The Contaminating Woman", in The Seventieth Annual Meeting of the American Anthropological Association. New York: American Anthropological Association.

GOODY, Jack & Stanley Jeyaraja TAMBIAH

1973. *Bridewealth and Dowry*. Cambridge: Cambridge University Press.

GORDON, Linda & Allen HUNTER

1977-78. "Sex, Family, and the New Right". *Radical America*, winter.

GORDON, Linda & Ellen DUBOIS

1983. "Seeking Ecstasy on the Battlefield: Danger and Pleasure in Nineteenth Century Feminist Sexual Thought". *Feminist Studies* 9, n. 1.

GORHAM, Deborah

1978. "The 'Maiden Tribute of Modern Babylon' Re-Examined: Child Prostitution and the Idea of Childhood in Late-Victorian England". *Victorian Studies* 21, n. 3.

GOUGH, Ian

1972. "Marx and Productive Labour". *New Left Review*, n. 76, London.

GOUGH, Kathleen

1959. "The Nayars and the Definition of Marriage". *Journal of the Royal Anthropological Institute*, v. 89.

GREGORY-LEWIS, Sasha
1977a. "The Neo-Right Political Apparatus". *Advocate*, 8 February. **1977b.** "Right Wing Finds New Organizing Tacdc". *Advocate*, 23 June. **1977c.** "Unraveling the Anti-Gay Network". *Advocate*, 7 September.

HANSEN, Bert
1979. "The Historical Construction of Homosexuality". *Radical History Review* 20, spring-summer.

HARRY, Joseph & William B. DEVALL
1978. *The Social Organization of Gay Males.* New York: Praeger.

HARTWELL, Samuel
1950. *A Citizen's Handbook of Sexual Abnormalities and the Mental Hygiene Approach to Their Prevention.* Lansing: State of Michigan.

HEFNER, Robert
1974. "The Tel Quel Ideology: Material Practice upon Material Practice". *Substance*, n. 8.

HERDT, Gilbert
1981. *Guardians of the Flutes: Idioms of Masculinity.* New York: McGraw-Hill.

HERSKOVITS, Melville
1937. "A Note on 'Woman Marriage' in Dahomey". *Africa*, n. 3, v. 10.

HERTZ, Robert
1960. *Death and the Right Hand.* Glencoe: Free Press.

HIRSCHFELD, Magnus
1914/2000. *The Homosexuality of Men and Women*, translated by Michael Lombardi-Nash. Amherst, Nova York: Prometheus.

HOLLIBAUGH, Amber
1983. "The Erotophobic Voice of Women: Building a Movement for the Nineteenth Century". *New York Native*, 26 September-9 October.

HOLZ, Maxine
1983. "Porn: Turn On or Put Down, Some Thoughts on Sexuality". *Processed World* 7, spring.

HORNEY, Karen
1973. "The Denial of the Vagina", in Harold Kelman (org.). *Feminine Psychology.* New York: Norton.

IRVINE, Janice
2002. *Talk about Sex: The Battles over Sex Education in the United States.* Berkeley: University of California Press.

JAKOBSON, Roman & Morris HALLE
1971. *Fundamentals of Language.* The Hague: Mouton.

JEFFREYS, Sheila
1985. *The Spinster and Her Enemies: Feminism and Sexuality.* Boston: Pandora.

JONES, Ernest
1933. "The Phallic Phase". *International Journal of Psychoanalysis*, v. 14.

JORDAN, Mark
1997. *The Invention of Sodomy in Christian Theology.* Chicago: University of Chicago Press.

KATZ, Jonathan
1976. *Gay American History: Lesbians and Gay Men in the U.S.A.* New York: Thomas Crowell.

KELLY, Raymond
1976. "Witchcraft and Sexual Relations: An Exploration of the Social and Semantic Implications of the Structure of Belief", in Paula Brown and Georgeda Buchbinder (orgs.). *Man and Woman in the New Guinea Highlands.* Washington: American Anthropological Association.

KINSELLA, James
1989. *Covering the Plague: AIDS and the American Media.* New Brunswick: Rutgers University Press.

KINSEY, Alfred, Wardell B. POMEROY & Clyde E. MARTIN
1948. *Sexual Behavior in the Human Male.* Philadelphia: W. B. Saunders.

KINSEY, Alfred, Wardell B. POMEROY, Clyde E. MARTIN & Paul H. GEBHARD
1953. *Sexual Behavior in the Human Female.* Philadelphia: W. B. Saunders.

KOPKIND, Andrew
1977. "America's New Right". *New Times*, September 30.

KRAFFT-EBING, R. von
1899. *Psychopathia Sexualis, with*

Special Reference to the Contrary Sexual Instinct: A Medico-Legal Study. Philadelphia: Davis.

LACAN, Jacques

[1966] 1998. "Função e campo da fala e da linguagem em psicanálise", in *Escritos*, trad. Vera Ribeiro. Rio de Janeiro: Jorge Zahar.

[1953] 2003. "Discurso de Roma", in *Outros escritos*, trad. Vera Ribeiro. Rio de Janeiro: Jorge Zahar.

LAMPL-DE GROOT, Jeanne

1933. "Problems of Femininity". *Psychoanalytic Quarterly*, v. 2.

1948. "The Evolution of the Oedipus Complex in Women", in R. Fleiss (org.). *The Psychoanalytic Reader*. New York: International Universities Press.

LANGNESS, L. L.

1967. "Sexual Antagonism in the New Guinea Highlands: A Bena Bena Example". *Oceania*, n. 3, v. 37.

LANGUM, David

1994. *Crossing Over the Line: Legislating Morality and the Mann Act*. Chicago: University of Chicago Press.

LAQUEUR, Thomas

2003. *Solitary Sex: A Cultural History of Masturbation*. New York: Zone Books.

LARGUIA, Isabel & John DUMOULIN

1972. "Towards a Science of Women's Liberation". *NACLA Newsletter*, n. 10, v. 6.

LASCH, Christopher

1974. "Freud and Women". *New York Review of Books*, n. 15, v. 21.

LAURITSEN, John & David THORSTAD

1974. *The Early Homosexual Rights Movement*. New York: Times Change Press.

LEACH, Edmund

[1961] 2001. *Repensando a antropologia*, trad. Jose Luis dos Santos. São Paulo: Perspectiva.

LEDERER, Laura (org.)

1980. *Take Bade the Night: Women on Pornography*. New York: William Morrow.

LÉVI-STRAUSS, Claude

[1947] 1984. *As estruturas elementares do parentesco*. São Paulo: Vozes.

1970. "A Confrontation", in *New Left Review*, n. 62, julho-agosto.

[1956] 1982. *Homem, cultura e sociedade*. São Paulo: Martins Fontes.

LINDEN, Robin Ruth, Darlene R. PAGANO, Diana E. H. RUSSELL & Susan Leigh STARR (orgs.) **1982.** *Against Sadomasochism: A Radical Feminist Analysis*. East Palo Alto, California: Frog in the Well Press.

LINDENBAUM, Shirley

1973. "A Wife Is the Hand of the Man", in The Seventy-Second Annual Meeting of the American Anthropological Association. Mexico City.

LIVINGSTONE, Frank

1969. "Genetics, Ecology, and the Origins of Incest and Exogamy". *Current Anthropology*, n. 1, v. 10.

MACKINNON, Catharine

1982. "Feminism, Marxism, Method and the State: An Agenda for Theory". *Signs* 7, n. 3. **1983.** "Feminism, Marxism, Method and the State: Toward Feminist Jurisprudence". *Signs* 8, n. 4. **1987.** *Feminism Unmodified: Discourses on Life and Law*. Cambridge: Harvard University Press. **1989.** *Toward a Feminist Theory of the State*. Cambridge: Harvard University Press.

MALINOWSKI, Bronislaw

[1921] 1970. "The Primitive Economics of the Trobriand Islanders", in t. Harding and B. Wallace (orgs.). *Cultures of the Pacific*. New York: Free Press.

[1929] 1983. *A vida sexual dos selvagens*, trad. Carlos Sussekind. Rio de Janeiro: Francisco Alves.

MARCUS, Steven

1974. *The Other Victorians*. New York: New American Library.

MARMOR, Judd

[1965] 1973. *A inversão sexual*. Rio de Janeiro: Imago.

MARX, Karl

[1849] 1971. *Wage-Labor and Capital*. New York: International Publishers.

[1852] 1980. *Teorias da mais valia: história crítica do pensamento econômico.* Rio de Janeiro: Civilização Brasileira. **[1859] 1985.** *Formações econômicas pré-capitalistas,* trad. João Maia. Rio de Janeiro: Paz e Terra. **[1867] 2013.** *O capital,* trad. Rubens Enderle. São Paulo: Boitempo. **[1939] 2011.** *Grundrisse,* trad. Mario Duayer e Nélio Schneider. São Paulo: Boitempo.

MASON, Diane
2008. *The Secret Vice: Masturbation in Victorian Fiction and Medical Culture.* Manchester: Manchester University Press.

MAUSS, Marcel
[1923] 2017. "Ensaio sobre a dádiva: forma e razão da troca nas sociedades arcaicas", in *Sociologia e antropologia,* trad. Paulo Neves. São Paulo: Ubu Editora.

MCINTOSH, Mary
1968. "The Homosexual Role". *Social Problems* 16, n. 2.

MCMURTRIE, Douglas
1914. "A Legend of Lesbian Love among North American Indians". *Urologie and Cutaneous Review,* April.

MEAD, M. J.
[1935] 1979. *Sexo e temperamento,* trad. Rosa Krausz. São Paulo: Perspectiva.

MEGGITT, M. J.
[1964] 1970. "Male-Female Relationships in the Highlands of Australian New Guinea". *American Anthropologist,* n. 4, v. 66, part 2.

MEHLMAN Jeffrey
1972. "French Freud: Structural Studies in Psychoanalysis" in *Yale French Studies,* n. 48, New Haven.

MITCHELL, Juliet
1971. *Women's Estate.* New York: Vintage. **1974.** *Psychoanalysis and Feminism: Freud, Reich, Laing, and Women.* New York: Pantheon.

MITZEL, John
1980. *The Boston Sex Scandal.* Boston: Glad Day Books.

MOODY, Roger
1980. *Indecent Assault.* London: Word Is Out.

MORAL MAJORITY REPORT
1983. July.

MURPHY, Robert
1959. "Social Structure and Sex Antagonism". *Southwestern Journal of Anthropology,* n. 1, v. 15.

MURRAY, Stephen O.
1979. "The Institutional Elaboration of a Quasi-Ethnic Community". *International Review of Modern Sociology* 9, n. 2.

NEWTON, Esther
1972. *Mother Camp: Female Impersonators in America.* Englewood Cliffs, NJ: Prentice-Hall.

NORTON, Clark
1981. "Sex in America". *Inquiry,* 5 October.

O'CARROLL, Tom
1980. *Paedophilia: The Radical Case.* London: Peter Owen.

O'DAIR, Barbara
1983. "Sex, Love, and Desire: Feminists Struggle over the Portrayal of Sex". *Alternative Media,* spring.

OOSTERHUIS, Harry
2000. *Stepchildren of Nature: Krafft-Ebing, Psychiatry, and the Making of Sexual Identity.* Chicago: University of Chicago Press.

ORLANDO, Lisa
1982. "Bad Girls and 'Good' Politics". *Village Voice, Literary Supplement,* December. **1983.** "Power Plays: Coming to Terms with Lesbian S/M". *Village Voice,* 26 July.

ORTNER, Sherry B. & Harriet WHITEHEAD (orgs.)
1981. *Sexual Meanings: The Cultural Construction of Gender and Sexuality.* New York: Cambridge University Press.

PADGUG, Robert A
1979. "Sexual Matters: On Conceptualizing Sexuality in History". *Radical History Review* 20, spring-summer.

PAPAYANIS, Nicholas
2000. "Sex and the Revanchist City: Zoning Out Pornography". *Environment and Planning D: Space and Society* 18.

PASTERNAK, Judith
1983. "The Strangest Bedfellows: Lesbian Feminism and the Sexual Revolution". *Woman News*, October.

PATTON, Cindy
1990. *Inventing AIDS*. New York: Routledge. **1985.** *Sex and Germs: The Politics of AIDS*. Boston: South End Press. PAVLOV's *Children: They May Be Yours* 1969. Los Angeles: Impact.

PENELOPE, Julia
1980. "And Now for the Really Hard Questions". *Sinister Wisdom* 15, fall.

PETCHESKY, Rosalind Pollack
1981. "Anti-abortion, Anti-feminism, and the Rise of the New Right". *Feminist Studies* 7, n. 2.

PHELAN, Shane
1989. *Identity Politics: Lesbian Feminism and the Limits of Community*. Philadelphia: Temple University Press.

PIVAR, David J.
1973. *Purity Crusade: Sexual Morality and Social Control, 1868-1900*. Westport, Connecticut: Greenwood Press.

PLATH, Sylvia
[1962] 2004. "Daddy", in *Ariel: The Restored Edition*. New York: Harper Collins.

PODHORETZ, Norman
1977. "The Culture of Appeasement". *Harper's*, October.

POWELL, Lynn
2010. *Framing Innocence: A Mother's Photographs, a Prosecutor's Zeal, and a Small Town's Response*. New York: The New Press.

PUFF, Helmut
2003. *Sodomy in Reformation Germany and Switzerland, 1400-1600*. Chicago: University of Chicago Press.

RAPPAPORT, Roy
1975. *Pigs for the Ancestors: Ritual in the Ecology of a New Guinea People*. New Haven: Yale University Press.

RAYMOND, Janice
1979. *The Transsexual Empire: The Making of the She-Male*. New York: Teachers College Press.

READ, Kenneth
1952. "The Nama Cult of the Central Highlands, New Guinea". *Oceania*, n. 1, v. 23.

REAY, Marie
1959. *The Kuma*. London: Cambridge University Press.

RICH, Adrienne
1980. "Compulsory Heterosexuality and Lesbian Existence". *Signs* 5.
1979. *On Lies, Secrets, and Silence*. New York: W. W. Norton.

RICH, B. Ruby
1983. "Review of Powers of Desire". *These Times*, 16-22 November.

ROBINSON, Paul
1976. *The Modernization of Sex*. New York: Harper and Row.

ROSARIO, Vernon A. (org.)
1997. *Science and Homosexualities*. New York: Routledge.

ROWNTREE, M. & J. ROWNTREE
1970. "More on the Political Economy of Women's Liberation". *Monthly Review*, n. 8, v. 21.

RUBIN, Gayle
1974. "Coconuts: Aspects of Male/Female Relationships in New Guinea". Unpublished manuscript.
1979. *Introduction to* A Woman Appeared to Me, *by Renée Vivien*. Weatherby Lake: Naiad. **1981.** "Sexual Politics, the New Right, and the Sexual Fringe." The Age Taboo, ed. Daniel Tsang. Boston: Alyson.
1982. "Review of Guardians of the Flutes". *Advocate*, 23 December.
2011. *Deviations: A Gayle Rubin Reader*. Durham: Duke University Press.

RUGGIERO, Guido
1985. *The Boundaries of Eros: Sex Crime and Sexuality in Renaissance Europe*. New York: Oxford University Press.

RUND, J. B.
1977. Preface to *Bizarre Comix*. New York: Belier, v. 8. **1978.** Preface to *Bizarre Fotos*. New York: Belier, v. 1.
1979. Preface to *Bizarre Katalogs*. New York: Belier, v. 1.

RUSH, Florence
1980. *The Best Kept Secret: Sexual Abuse of Children*. New York: McGraw-Hill.

RUSS, Joanna
  1982. "Being against Pornography".
  Thirteenth Moon 6, n. 1-2.
RYAN, Mary
  1979. "The Power of Women's
  Networks: A Case Study of Female
  Moral Reform in America".
  Feminist Studies 5, n. 1.
SAHLINS, Marshall
  1960. "The Origin of Society".
  Scientific American, 203. 1972. *Stone
  Age Economics*. Chicago: Aldine-
  Atherton.
SAMOIS (organização lésbica,
  feminista, sadomasoquista)
  1979. *What Color Is Your
  Handkerchief: A Lesbian S/m
  Sexuality Reader*, ed. Berkeley: Samois.
  1981. *Coming to Power: Writings
  and Graphics on Lesbian S/M*, ed.
  Berkeley: Samois. 1982. *Coming to
  Power*. Boston: Alyson.
SCHNEIDER, David M. & Kathleen
  GOUGH (orgs.)
  1961. *Matrilineal Kinship*. Berkeley:
  University of California Press.
SCOTT, John Finley
  1965. "The Role of Collegiate
  Sororities in Maintaining Class
  and Ethnic Endogamy". *American
  Sociological Review*, n. 4, v. 30.
SECOMBE, Wally
  1974. "Housework under Capitalism".
  New Left Review, n. 83, London.
SIMON, William & John Gagnon (orgs.).
  1967. *Sexual Deviance*. New York:
  Harper and Row. 1970. *The Sexual
  Scene*. Chicago: Aldine/Trans-Action.
SONENSCHEIN, David
  1966. "Homosexuality as a Subject
  of Anthropological Inquiry".
  Anthropological Quarterly, n. 2.
SONTAG, Susan
  [1969] 1987. *A vontade radical: estilos*,
  trad. João Roberto Martins Filho.
  São Paulo: Companhia das Letras.
SPOONER, Lysander
  1977. *Vices Are Not Crimes:
  A Vindication of Moral Liberty*.
  Cupertino, California: Tanstaafl.
STAMBOLIAN, George
  1980. "Creating the New Man:

A Conversation with Jacqueline
Livingston". *Christopher Street*, May.
STATE OF MICHIGAN
  1951. *Report to the Governor's Study on
  the Deviated Criminal Sex Offender*.
  Detroit: G. Mennen Williams.
STATE OF NEW HAMPSHIRE
  1949. *Report of the Interim
  Commission of the State of New
  Hampshire to Study the Cause and
  Prevention of Serious Sex Crimes*.
  Concord: Concord Press.
STATE OF NEW YORK
  1950. *Report to the Governor on a
  Study of 102 Sex Offenders at Sing
  Prison*. Albany: Department of
  Mental Hygiene.
STEAKLEY, James
  1975. *The Homosexual Emancipation
  Movement in Germany*. Salem: Ayer.
  1997. "*Per scientiam ad justitiam*:
  Magnus Hirschfeld and the Sexual
  Politics of Innate Homosexuality",
  in Vernon Rosario (org.). *Science
  and Homosexualities*. New York:
  Routledge.
STENGERS, Jean & Anne VAN NECK
  2001. *Masturbation: The History of a
  Great Terror*, translated by Kathryn
  A. Hoffman. New York: Palgrave.
STRATHERN, Marilyn
  1972. *Women in Between*. New York:
  Seminar.
SULLOWAY, Frank
  1979. *Freud, Biologist of the Mind:
  Beyond the Psychoanalytic Legend*.
  New York: Basic Books.
SUNDAHL, Deborah
  1983. "Stripping for a Living".
  Advocate, 13 October.
THOMPSON, Edward Palmer
  [1963] 1987. *A formação da classe
  operária inglesa*. Rio de Janeiro: Paz
  e Terra.
THURNWALD, Richard
  1916. "Banaro Society". *Memoirs
  of the American Anthropological
  Association*, n. 4, v. 3.
TIGER, Lionel & Robin FOX
  1971. *The Imperial Animal*.
  New York: Holt, Rinehart and
  Winston.

TSANG, Daniel
1977a. "Gay Ann Arbor Purges", part 1. *Midwest Gay Academic Journal* 1, n. 1. **1977b.** "Ann Arbor Gay Purges", part. 2. *Midwest Gay Academic Journal* 1, n. 2. **1981.** (org.) *The Age Taboo*. Boston: Alyson.

VALVERDE, Mariana
1980. "Feminism Meets Fist-Fucking: Getting Lost in Lesbian S&M". *Body Politic* 60, February.

VAN BAAL, Jan
1966. *Dema*. The Hague: Nijhoff.

VOGEL, Lise
1973. "The Earthly Family". *Radical America*, n. 4-5, v. 7.

WALKOWITZ, Judith R.
1980. *Prostitution and Victorian Society*. New York: Cambridge University Press. **1983.** "Male Vice and Feminist Virtue: Feminism and the Politics of Prostitution in Nineteenth-Century Britain", in Ann Snitow, Christine Stansell, and Sharon Thompson (orgs.). *Powers of Desire: The Politics of Sexuality*. New York: Monthly Review Press. **1992.** *City of Dreadful Delight: Narratives of Sexual Danger in Late-Victorian London*. Chicago: University of Chicago Press.

WATNEY, Simon
1987. *Policing Desire: Pornography AIDS and the Media*. Minneapolis: University of Minnesota Press.

WECHSLER, Nancy
1981a. "Interview with Pat Califia and Gayle Rubin", part 1. *Gay Community News*, 18 July. **1981b.** "Interview with Pat Califia and Gayle Rubin", part 2. *Gay Community News*, 15 August.

WEEKS, Jeffrey
1977. *Coming Out: Homosexual Politics in Britain, from the Nineteenth Century to the Present*. London: Quartet. **1981.** *Sex, Politics, and Society: The Regulation of Sexuality since 1800*. London: Longman.

WILDEN, Anthony
1968. "Lacan and the Discourse of the Other", in Jacques Lacan. *The Language of the Self: The Function of Language in Psychoanalysis*. Baltimore: Johns Hopkins University Press.

WILLIAMS, F. E
1936. *Papuans of the Trans-Fly*. New York: Oxford University Press.

WILLIE, John
1974. *The Adventures of Sweet Gwendoline*. New York: Belier.

WILLIS, Ellen
1981. *Beginning to See the Light: Pieces of a Decade*. New York: Alfred Knopf. **1982.** "Who Is a Feminist? An Open Letter to Robin Morgan". *Village Voice Literary Supplement*, December.

WILSON, Elizabeth
1983. "The Context of 'Between Pleasure and Danger': The Barnard Conference on Sexuality". *Feminist Review* 13, spring.

WILSON, Paul
1981. *The Man They Called a Monster*. New South Wales: Cassell Australia.

WITTIG, Monique
1973. *Les Guérillères*. New York: Avon.

WOLFE, Alan & Jerry SANDERS
1979. "Resurgent Cold War Ideology: The Case of the Committee on the Present Danger". *Capitalism and the State in U.S.-Latin American Relations*, ed. Richard Fagen. Stanford: Stanford University Press.

WOLFF, Charlotte
[1971] 1973. *Amor entre mulheres*, trad. Milton Person. Rio de Janeiro: Nova Fronteira.

YALMON, Nur
1963. "On the Purity of Women in the Castes of Ceylon and Malabar". *Journal of the Royal Anthropological Institute*, n. 1, v. 93.

ZAMBACO, Demetrius
1981. "Onanism and Nervous Disorders in Two Little Girls", in François Peraldi (org.), *Polysexuality*, ed. especial da *Semiotext(e)* 4, n. 1.

SOBRE A AUTORA

GAYLE S. RUBIN nasceu na Carolina do Sul, em 1949. Estudou na Universidade de Michigan, onde fez um curso especial de Women Studies [Estudos sobre a Mulher], de 1969 a 1972, quando terminou a graduação com uma tese sobre a literatura e a história do lesbianismo. Ingressou em seguida na pós-graduação no departamento de antropologia, onde também começou a lecionar, defendendo o mestrado em 1974. No ano seguinte publicou o artigo que a tornou conhecida, "Traffic in Women" ["Tráfico de mulheres"], incluído neste volume. Em 1978, mudou-se para São Francisco para realizar uma pesquisa sobre comunidades gay *leather* [couro], tornando-se PhD em antropologia pela Universidade de Michigan em 1994, com uma tese sobre o tema. Sua pesquisa foi pioneira no campo de estudos sobre sexo e gênero na antropologia. Ainda em 1978, fundou com Patrick Califia e outros militantes o primeiro grupo lésbico sadomasoquista que se tem notícia, o Samois. Como ativista pró-sexo, exerceu grande influência nos debates sobre gênero e sexualidade. Desde 2003 é professora do departamento de antropologia da Universidade de Michigan.

LIVROS

Surveiller et Jouir: Anthropologie Politique du Sex. Paris, Éditions Psychanalytiques de l'École Lacanienne, 2010.

Deviations: A Gayle Rubin Reader. Durham: Duke University Press, 2011. Vencedor dos prêmios Ruth Benedict, 2012, e Geoff Mains, 2012.

Valley of the Kings: Leathermen in San Francisco, 1960-1990. Durham: Duke University Press [no prelo].

ARTIGOS, ENSAIOS E CAPÍTULOS DE LIVROS

"The Traffic in Women: Notes on the 'Political Economy' of Sex", in R. Reiter (org.), *Toward an Anthropology of Women*. New York: Monthly Review, 1975, pp. 157-210.

"Introduction", in R. Vivien, *A Woman Appeared to Me*. Reno: Naiad, 1976, pp. 3-38.

"The Leather Menace", in Samois (org.), *Coming To Power*. Boston: Alyson, 1982, pp. 194-229.

"Thinking Sex", in C. Vance (org.), *Pleasure and Danger*. New York: Routledge & Kegan Paul, 1984, pp. 267-319.

"The Catacombs: A Temple of the Butthole", in M. Thompson (org.), *Leatherfolk*. Boston: Alyson, 1991, pp. 119-41.

"Of Catamites and Kings: Reflections on Butch, Gender, and Boundaries", in J. Nestle (org.), *The Persistent Desire*. Boston: Alyson, 1992, pp. 466-82.

"Misguided, Dangerous, and Wrong: An Analysis of Anti-Pornography Politics", in A. Assiter & A. Carol (orgs.), *Bad Girls and Dirty Pictures: The Challenge To Reclaim Feminism*. London: Pluto, 1993, pp. 18-40.

"Elegy for the Valley of the Kings: Aids and the Leather Community in San Francisco, 1981-1996", in M. P. Levine, P. M. Nardi & J. H. Gagnon (orgs.), *In Changing Times: Gay Men and Lesbians Encounter HIV/Aids*. Chicago: University of Chicago Press, 1997, pp. 101-43.

"The Miracle Mile: South of Market and Gay Male Leather in San Francisco, 1962–1996", in J. Brook, C. Carlsson & Nancy Peters (orgs.), *Reclaiming San Francisco: History, Politics, Culture*. San Francisco: City Lights Books, 1998, pp. 247-72.

"Sites, Settlements, and Urban Sex: Archaeology and the Study of Gay Leathermen in San Francisco 1955-1995", in R. Schmidt e B. Voss (orgs.), *Archaeologies of Sexuality*. London: Routledge, 2000, pp. 62-88.

"Studying Sexual Subcultures: the Ethnography of Gay Communities in Urban North America", in E. Lewin & W. Leap (orgs.), *Out in Theory: The Emergence of Lesbian and Gay Anthropology*. Urbana: University of Illinois Press, 2002, pp. 17-68.

"Samois", in M. Stein (org.), *Encyclopedia of Lesbian, Gay, Bisexual, and Transgender History in America*. New York: Charles Scribner's Sons, 2004, pp. 67-69.

"Geologies of Queer Studies: It's Déjà Vu All Over Again". *Clags News (Center for Gay and Lesbian Studies)*, verão, v. XIV, n. 2, New York, 2004, pp. 6-10.

"A Little Humility", in D. Halperin & V. Traub (orgs.), *Gay Shame*. Chicago: University of Chicago Press, 2009, pp. 369-73.

"Blood Under the Bridge: Reflections on 'Thinking Sex'", in H. Love, A. Cvetkovich & A. Jagose (orgs.), in *Rethinking Sex*, edição especial do *GLQ: A Journal of Gay and Lesbian Studies*, v. 17, n. 1, Durham, 2010, pp. 15-48.

"Le Sexe gai dans la ville post-industrielle: hommes cuir, San Francisco, et géographies de l'espace cuir", in M. Viltard (org.), *Chérir la diversité sexuelle. Gayle Rubin à Paris Juin 2013*. Paris: L'Unebévue éditeur, Cahiers de l'Unebévue, 2014.

"SM Politics, SM Communities in the United States" [em colaboração com Rostom Mesli], in D. Paternotte e M. Tremblay (orgs.), *Ashgate Research Companion to Lesbian and Gay Activism*. Farnham: Ashgate, 2015.

"Leather's Proust, in Pictures", in M. I. Chester, *City of Wounded Boys & Sexual Warriors*. San Francisco: Mark I. Chester, 2015.

"The Leather Archives & Museum: Some Pre-History", in J. Van Lammeren & J. S. Perez, *Leather Archives & Museum: 25 Years 1991-2016*. Chicago: Leather Archives & Museum, 2016, pp. 25-32.

SOBRE A OBRA DE GAYLE S. RUBIN

BUTLER, Judith. "Sexual Traffic" [entrevista], in *Differences: A Journal of Feminist Cultural Studies*, v. 6, n. 2-3. Durham: Duke University Press, 1994, pp. 62-99.

MATHIEU, Nicole-Claude [em colaboração com Catherine Quiminal]. "Un Hommage critique à Lévi-Strauss et Freud: Gayle Rubin (1975)". *Journal des Anthropologues*, n. 82-83. Charenton-le-Pont: Association Française des Anthropologues, 2000, pp. 41-52.

MENDELSOHN, Sophie. "Notre amie Gayle Rubin Critique". *Critique*, n. 800-01. Paris: Editions de Minuit, 2014.

MOSCHKOVICH, Marília Barbara F. Garcia. "Como ler a obra de Gayle Rubin?". *Revista Estudos Feministas*, v. 20 n. 3. Florianópolis: Centro de Filosofia e Ciências Humanas e Centro de Comunicação e Expressão da UFSC, 2012.

PISCITELLI, Adriana. "Comentário". *Caderno Pagu*, n. 21. Campinas: Núcleo de Estudos de Gênero da Unicamp, 2003.

ROLAND, Bernard. "Gayle Rubin, Surveiller et jouir. Anthropologie politique du sexe". *Essaim*, n. 27. Toulouse: Érès, 2011.

STORMS, Gregory. "Rubin, Gayle (1949-)", in P. Whelehan e A. Bolin, *The International Encyclopedia of Human Sexuality*. Malden: Wiley-Blackwell, 2015.

STRYKER, Susan. "The time has come to think about Gayle Rubin". *GLQ: A Journal of Lesbian and Gay Studies*, v. 17, n. 1. Durham: Duke University Press, 2011, pp. 79-83.

COLEÇÃO ARGONAUTAS

Marcel Mauss
Sociologia e antropologia

Henri Hubert & Marcel Mauss
Sobre o sacrifício

Claude Lévi-Strauss
Antropologia estrutural

Claude Lévi-Strauss
Antropologia estrutural dois

Pierre Clastres
A sociedade contra o Estado

Roy Wagner
A invenção da cultura

Marilyn Strathern
O efeito etnográfico

Alfred Gell
Arte e agência

Gayle Rubin
Políticas do sexo

Manuela Carneiro da Cunha
Cultura com aspas

Eduardo Viveiros de Castro
A inconstância da alma selvagem

Mauro W. B. Almeida
Caipora e outros conflitos ontológicos

© Ubu Editora, 2017
© Gayle Rubin, 1975, 1984
© Duke University Press, 2011

COORDENAÇÃO EDITORIAL Florencia Ferrari
ASSISTENTES EDITORIAIS Isabela Sanches e Mariana Schiller
PREPARAÇÃO Maria Fernanda Alvares
REVISÃO Débora Donadel
DESIGN Elaine Ramos
ASSISTENTE DE DESIGN Livia Takemura
COMPOSIÇÃO Jussara Fino
PRODUÇÃO GRÁFICA Aline Valli
INDICAÇÃO EDITORIAL Julia Fagá Alves

*Nesta edição, respeitou-se o novo Acordo
Ortográfico da Língua Portuguesa.*

Dados Internacionais de Catalogação na Publicação (CIP)

Rubin, Gayle [1949–]
    Políticas do sexo: Gayle Rubin
    Tradução: Jamille Pinheiro Dias.
    Títulos originais: *Thinking Sex* e *The Traffic
    in Women*
    São Paulo : Ubu Editora, 2017.
    144 pp.

    ISBN 978 85 92886 48 6

    1. Estudo de gênero 2. Sexualidade 3. Psico-
    logia 4. Antropologia I. Pinheiro, Jamille.
    II. Título.

	CDD 305.42
2017-363	CDU 396

Índices para catálogo sistemático:
1. Estudos de gênero 305.42 2. Estudos de gênero 396

UBU EDITORA
Largo do Arouche 161 sobreloja 2
01219 011 São Paulo SP
(11) 3331 2275
ubueditora.com.br
professor@ubueditora.com.br
 /ubueditora

FONTES Avenir Next e More